廃墟に乞う
佐々木譲
Joh Sasaki
文藝春秋

装幀　片岡忠彦

廃墟に乞う

オージー好みの村

降りしきる雪の向こうに、巨大な看板が見えてきた。

日本語ではこう書かれている。

「ようこそ、ニセコ・グラン・ヒラフスキー場へ」

それと同じサイズで英文表記があった。

“Welcome to NISEKO Mt. RESORT Grand HIRAFU”

ようやく目的地に着いたのだ。札幌から中山峠を越えて、ほぼ三時間のドライブだった。

仙道孝司《せんどうたかし》は、四輪駆動車のシートの上で腰を少しだけ浮かせた。中山峠にかかってからは二時間、吹雪ではないものの、それでも札幌の住人の感覚では大雪といっていい天候の中を走ってきた。かなりの緊張が続いていたのだった。

木立が切れて、別荘かペンションかという建物が道の両側に増えてきた。道の脇を歩く通行人たちは、その大半が白人だ。おそらく八割以上。たしかにここは、リトル・シドニーとも、オージー・ビレッジとも言われるだけのことはあった。

「驚きますよ」と、聡美《さとみ》は電話で言ったのだった。「六本木以上です。それくらい外国人が多くなっています。その大半はオーストラリア人」

昨日の午後のことだ。彼女は続けた。

「外国人が増えれば、どうしても摩擦も多くなる。この事件で、警察は最初からオーストラリア人に容疑をかけてるんです。偏見で捜査が始まっている」

山腹を横切るこの北海道道三四三号線は、このニセコひらふエリアと倶知安《くっちゃん》町、ニセコ町の市街地とを結ぶ唯一の道だ。

車を進めながら、仙道は谷側の建物の看板を眺めた。酒場があり、軽食堂があり、スキーやスノーボードのレンタルショップがあった。旅行代理店の看板もひとつ。まったく英文だけの看板のほうが多かった。つまりみな、英語圏の客を相手の商売ということなのだろう。

コンビニエンス・ストアの前を通りすぎると、信号のある交差点に出た。ここにも、二カ国語併記の看板。右手を向いた矢印の先に、グラン・ヒラフスキー場、駐車場、と表示されている。

その交差点を右手に折れた。直線の上り坂だ。このエリアのメイン・ストリートにあたる道だった。除雪も行き届いている。まっすぐ進んだ先にスキー・ゲレンデがある。

道の両側はホテル街だ。かつてはスキーヤーのための安宿や民宿が並んでいたが、いまはたいがいどの宿も、中層程度の規模のホテルに改装されている。

仙道は、その坂道に徐行気味に車を進めた。聡美の店は、このメイン・ストリートを登り切った位置にあると聞いた。この村の老舗のホテルからバーのスペースを借りて、営業しているという。電話でのやりとりでは、六年目になるとのことだった。

四輪駆動車を進めながら、聡美の言葉をもう一度思い出した。

「警察はもう、あるオージーが殺したと決めつけているんです。はっきりと容疑をかけて事情聴取をしているし、聞き込みを続けているんです。お願いします。真犯人を見つけて」

仙道は訊《き》いたのだった。

「あんたと、そのオージーとはどんな仲なんだ？」

「商売仲間」と聡美は答えた。「友達。この村で、ここ何年も一緒に働いてきた。そんな仲間のひとり」

「どうしてそんなことを、おれに頼む？」

聡美は答えた。

「仙道さんが有能な刑事だと知っているからです。そしていま自宅療養中で、暇だと聞いているから」

その五百メートルほどの坂道を登りきると、緩斜面が終わった。そこから先はスキー・ゲレンデである。通りの右手に広い駐車場があり、その外側にいくつかこぶりのホテルの建物が見える。駐車場の向かい側、左手には箱型の愛想のない六階建てのビルがあって、そこが聡美の店があるホテルだ。かつては木造二階建てのスキー宿だったが、たしか二十年くらい前、バブルの時期の直前にいまの建物に改築されたのだ。

ホテルの駐車場に車を停め、エントランスへと向かった。十メートルのあいだに、白人たちのグループ三つとすれ違った。

仙道はエントランスのひさしの下で肩の雪を払ってから建物の中に入った。売店のあるそのフロアにも、二、三十人の白人スキー客がいた。

階段で二階へと上がり、聡美の店を探した。

白いグランド・ピアノが置かれたラウンジの奥に、店の看板が出ていた。

「ワインバー・スノークイーン」

その下に、準備中、の文字。

黒い板のドアがある。仙道はドアに手をかけた。ロックされていなかった。そのまま押して、中に入った。

正面にカウンターがあった。七、八人腰掛けられるほどの幅だ。カウンターの真正面は大きなガラス窓となっており、ゲレンデがガラス窓いっぱいに広がっている。カウンターに向かい合うように、テーブル席のスペース。内装は全体に黒っぽい。音楽はかかっていなかった。まだ準備中という時間のせいだろう、客はひとりもいない。聡美の姿もなかった。

出直すか。

振り返ると、通路の向こうに聡美がいた。

「あ、着いたんですね。ありがとうございます」

歓迎の笑みを浮かべて近寄ってきた。

六年ぶりに見る顔だ。そのぶんだけ成熟した、かつての知り合い。仙道とは、とある刑事事件の捜査員と、容疑をかけられた男の身内という立場で知り合った。知り合ったとき、彼女は二十五歳前後だったろう。札幌の食品卸会社に勤めていた。

いま聡美は、黒いシャツに、黒いパンツ姿。黒いエプロンをつけていた。タオルを入れたバスケットを抱えている。髪をひっつめにしているようだ。額をすっかり出している。

そのモノセックス的なファッションは、媚《こび》のないやや硬質な顔だちの聡美によく似合っていた。

仙道は言った。

「忙しい時間かな。話を聞かせて欲しいんだ」

聡美はうなずいて言った。

「カウンターへどうぞ。ワインはいかがです？」

「まだ運転するかもしれない。コーヒーはあるかな」

「すぐに」

聡美にうながされて仙道はオーバーコートを脱ぎ、カウンターのスツールに腰を下ろした。

聡美はカウンターの内側に入って、コーヒーの支度を始めた。

手を動かしながら、聡美が訊いた。

「そろそろ復帰なんですよね？」

仙道の療養生活のことを言っている。いま仙道は、北海道警察本部人事第二課から自宅療養を命じられていた。四週間に一度、指定医の診察を受けることが義務づけられている。心療内科の担当医師が、勤務復帰オーケーの診断を下さない限り、本来の勤務にはつけないのだ。その状態が、もう十一カ月続いている。仙道は、四カ月目からは何度も、症状は改善した、健康体になったと訴え続けているが、人事課はこれを認めていなかった。

　それでも仙道は答えた。

「もう少しだ。すっかりよくなっている」

「血色だって、悪くない」

「少し太ったくらいだ。でも、このこと、誰に訊いた？」

　聡美は、仙道の同僚捜査員の名を出した。聡美にも関係のある事件で、一緒に捜査を担当した男だ。

「あいつとは、その後も？」

「ときたまメールをもらうくらいですけど」聡美は続けた。「暇だ、なんて言って申し訳ありませんでした」

「ツボに来た誘いだった。暇をもてあましていたんだ」

「迷惑じゃありません？」

「それより、おれで役に立てるのかどうか心配だ。いまのおれには、捜査の権限もない。捜査する根拠もないし、逮捕権もないんだ。そもそも、警察手帳すら持ち歩いていない」

「でも、やってくれるんでしょう？」

　聡美は、のぞきこむように、仙道の目をまっすぐに見つめてきた。

　甘えも媚もない、純粋な期待であると見える目の色。

　あの事件のときも、聡美がこの目で懇願してきたのだ。父は絶対に無実です。真犯人を見つけてくださいと。捜査本部で仙道があくまでも捜査の方針に反対できたのも、言ってみれば彼女のあの表情を信じることができたからだった。

「できるだけのことは」と仙道は言った。「それにしても、あんたがニセコにいるとは知らなかった」

「前から気になる土地だったから」聡美は言った。「ここが変わりそうな予感もあって。さいわい、あの当時は不動産も安かったし」

「ここは、借りているんだろう？」

「ええ。六年前は、破格の保証金で入れたんです。いまなら、考えられない」

「ほんとうに変わったんだな」

「自然に変わったわけじゃない。ニセコを変えてやろうというひとたちが、地道に努力してきた。それがようやく実ったのがいま」

「あんたのことだ」

「ああ」聡美はまたうなずいた。「自立してます。してると思います」

コーヒーが、大ぶりの陶器のカップで出てきた。仙道はそのカップを手前に引き寄せて、両手で包んだ。

「事件のことを、話してくれ」

「ええ」

聡美は、カウンターの内側から二枚の新聞記事の切り抜きを滑らせてきた。

「これが、一昨日《おととい》の朝刊の記事」

それは昨日、聡美から電話を受けたあと、仙道も探して読んだ記事だった。

ざっとこう書かれていた。

「**倶知安町山田ペンション街に女性変死体**
二十日朝、倶知安町山田（ひらふ地区）の貸し別荘で、女性の変死体があるのを貸し別荘オーナーのアーサー・リチャーズさん（37）が発見、倶知安警察署に届けた。女性の首には絞められたとみられるあとがあり、警察では殺人事件として捜査を始めた。女性の身元はわかっていない。貸し別荘はこの数日間、使われていなかったという」

もうひとつの記事は、昨日の地元紙のものだという。

「**女性の身元判明、倶知安町の女性絞殺死体**
二十日、倶知安町山田（ひらふ地区）の貸し別荘で発見された女性絞殺死体の身元がわかった。女性は同町内の飲食店で働いていた吉野久美さん（26）。吉野さんは十七日から、町内のアパートに帰っていなかったという。警察では交遊関係を中心に捜査を進めている」

仙道は記事から顔を上げて、聡美に訊いた。

「警察は、死体発見現場が殺害現場って見ているのか？」

聡美は答えた。

「よくわかりません。まだはっきりしていないのかもしれない」

「アーサーっていうのは、どういう男なんだ？」

聡美は答えた。

「オージー。八年前からここに住んでいる。第一発見者ってことで、容疑者になっているんです。きょうも倶知安警察署で事情聴取を受けているはず」

「仕事は？」

「オーストラリア人のための旅行代理店を経営しています。レストランと酒場も持っている。このエリアを国際的なリゾートに変えた功労者のひとりです。わたしの仕事仲間でもある。ニセコ元気クラブっていう、ボランティア団体の副会長もしていた」

「既婚？」

「奥さんは日本人。子供がふたりいて、死体が発見されたコテージに近いところに、自分で建てた家を持っています」

「貸し別荘のオーナーと書かれているが」

「そこは新聞記事のまちがいですね。その山小屋は、彼が最初のころに住んでいたところなの。そのままずっと借りていて、貸し別荘として使っていた」

「被害者との関係は？」

「彼女は、つい先週ぐらいまで、アーサーの店で働いていた」

「フリーターということだろうか」

「そうね。三年前からニセコに住み着いて、仕事をいろいろ変えながら暮らしていたみたい。わたしはあまり親しくはないけど」

「新聞記事には、交遊関係を捜査、と出ている。わかりやすい言葉で言い直すなら、被害者の男関係ってことだ。アーサーとこの吉野って被害者は、関係があった？」

聡美は苦笑した。仙道の言い方が直截《ちょくせつ》的過ぎたのかもしれない。

「ないと思う」

「根拠は？」

「被害者は、あまり評判がよくないから」

「男関係の？」

「仕事も。仕事が長続きしないのはそのせいみたい。そういう女の子と、アーサーが浮気するとは思わない」

仙道は微笑した。なるほど、この事件の当事者たちに対する聡美の評価は明快だ。であれば、自分に独自調査を頼んでくるわけだ。あのとき、自分の父親の無実を信じておれに真犯人捜しを懇願してきたように。

聡美が訊いた。

「どうです？　警察の見込みはおかしいでしょう？」

「まだわからない。これから現場を見に行ってみる」

「アーサーは、容疑をかけられて当然？」

「自分が借りている山小屋で、死体が見つかったんだ。しかも第一発見者。警察がまず疑うのは、やむをえないところだろうな。何か有力な物証でも出ているのかな？」

「わからない」

「物証が出たら、容疑の向きも変わる。おれが出る幕ではないのかもしれない」

「事件がこれ一件であればね」

「どういう意味だ？」

「警察は、オージーにお灸を据えたくてたまらないの」

聡美は言った。このエリアにオーストラリア人が多くくるようになったことを、じつは地元の役場や警察は、必ずしも歓迎していないのだと。短期のスキー客が増え出したころは、歓迎もされた。ところが、長期滞在者も多くなり、このエリアでビジネスをする外国人が増えてくると、やっかい者扱いする風潮が強くなってきたのだ。オーストラリア人たちは、インフラの不足や貧しさを言い募って、町役場にさまざまな要求を出すようになった。醜い景観の改善や林立する看板の撤去など、役場の職員には理解しがたい水準の要求も出してくるようになった。逆に町や日本人居住者の側には、オージーたちは、ゴミの収集ルールをはじめ、日本の生活習慣を守らないという不満がたまるようになった。

警察にとっては、オーストラリア人の飲酒運転が悩みだった。ちょうど道路交通法が改正されて飲酒運転の取り締まりが厳しくなった時期と、オーストラリア人の急増の時期が重なっていた。検問で飲酒運転のオーストラリア人を停止させても、彼らは日本語がわからない。取り締まりの警官には、違法行為だと説明することすらできなかった。けっきょく見逃してやるしかなかった。たまにもめることがあっても、そこにほかのオーストラリア人が飛んできて、通訳と弁護人役を買って出る。取り締まりの警官だって、少数のオーストラリア人を相手にその夜をつぶしたくはないのだ。けっきょく注意だけで済ませることもしばしばだった。

ここをオーストラリア人の無法地帯にはさせない、という気分が、地元警察の中に広がっているのだという。

だから、地元警察では、次にオーストラリア人が問題を起こした場合は、厳正に対処するという方針を固めていたらしい。正月明けの町の商工振興会の交礼会の席上、警察署長がそうあいさつしたとか。

聡美が言った。

「そこに起こったのがこの事件。警察は、ここで厳しい態度を見せつければ、オーストラリア人たちも少しは身を慎むだろうと考えているみたいなの。アーサーは、ある意味では地元の警察が目の敵《かたき》にしていたオージーだし」

仙道は苦笑した。

「だからといって、冤罪《えんざい》を作るわけにはゆかないだろう。そんなことをやれば、オーストラリア政府が黙っていない」

「それも辞さず、ということじゃないかしら」

「アーサーとは、話せるのか?」

「事情聴取から帰ってくれれば。店か、事務所で」

「現場を教えてくれないか」

「交差点の下のペンション街のはずれ。いま、地図を描きます」

「アーサーの自宅と、彼の店も。彼女のアパートというのは？」

「倶知安の市街地」

「ここじゃないのか？」

「村の中は、家賃がずいぶん上がってしまった。空き部屋はみな、観光客に貸し出されているの。働いているひとたちは、たいがい倶知安かニセコ町の市街地から通っているんです」

聡美が、観光地図に五カ所、赤い印をつけてくれた。死体が発見された小屋と、アーサーの住宅と、店二軒。それに、今夜仙道が泊まることになっているホテル。仙道はその地図を手にスツールから降りた。

「あとで、またくる」


ホテルを出て、いましがた上ってきた坂道を下った。速度を抑えつつ車を進めると、ほどなく信号のある交差点に出た。村の中心だ。

信号は青だった。仙道は、交差する道道を渡り、交差点向かい側の坂道へと車を進めた。仙道の記憶では、たしか昔、この道路は、国鉄の比羅夫という駅につながっていたはずである。いまはべつの道路があるはずだが。

聡美に教えられた通りに道を下った。通りの両わきは、都会の住宅地とさほど変わらない密度でペンションが建ち並んでいる。空き地も散在していたが、そのようなスペースには必ず英文で

「フォー・セール」と看板が出ていた。外国人投資家向けに売り出されているのだろう。

歩いている者の多い坂道だった。若い男女の白人が多いけれども、年配者や子供の姿も少なくない。スキーをかついだ者、スノーボードを抱えた者、てぶらの者、大きなスーツケースを曳いている者がいる。白人と目が合うと、相手はたいがい微笑してきた。

坂道と直角に交わる通りの三本目を左手に折れ、ペンションのあいだを抜けてまっすぐ進んだ。やがてこのペンション街の端と思える場所に出た。道はその先で行き止まりになっているようだ。先に沢でもあるのだろう。前方は原生林となっている。

左右には、コテージが四軒固まって建っている。もっとも奥に、三角屋根の小ぶりのログハウスがあって、小屋の手前に黄色い規制テープが張られていた。テープには北海道警察本部の文字。その小屋が死体発見現場のようだ。

仙道はその規制線の手前で車を停めて降りた。

小屋の向かい側には、樹木のない空き地があった。テニスコート一面ほどの広さだ。二メートル近いと見える積雪の上に、ひらふ不動産商会管理地、と看板が出ている。

規制線の外に立って、現場一帯を眺めた。ログハウスは、私道らしきスペースの奥にあった。小屋の手前には雪が積もり、入り口までの通路はふさがれている。規制テープが張られたことで、除雪車も入らなくなったのだろう。

仙道は規制線の外の雪の中に足を踏み入れ、小屋を別の角度から眺められる位置へと進んだ。想像したとおり、そのログハウスの裏手はすぐ沢となっており、急勾配の斜面が向こう側に落ちている。出入り口は、正面にしかないと見えた。

雪の降り続く空に目をやった。この地方はこの季節には、毎日毎日三十センチも四十センチも雪が積もるのだ。死体発見後、周辺からタイヤ痕や足跡を取ることは無理だったはずだ。

死体発見は三日前の朝とのことだ。小屋を管理するアーサーが死体を発見し、警察に通報した。被害者の死因は絞殺、と新聞記事にはあった。そこが殺害現場なのか、死体遺棄現場なのかは、新聞記事には書かれていなかった。警察も判断しかねているのかもしれない。

車のエンジン音がした。振り返ると、仙道の車のうしろに一台のセダンが停まったところだった。男がふたり乗っていて、仙道に目を向けている。顔は判別できなかったけれど、このあけすけな視線の向けようだ。警察関係者かもしれない。

自分の車に戻ってドアに手をかけたとき、そのセダンからひとりが降りてきた。作業服とも見える防寒着を着ている中年男だ。

男は油断のない目で仙道を見つめつつ、近寄ってきた。仙道は相手に向かい合うよう姿勢を変えた。

男は言った。

「お宅さんは、何してるの？」

仙道は答えた。

「べつに」

「そこは立ち入り禁止だよ。わかってるの？」

「入っていない」

セダンの運転席からも、男が降りてきた。こちらは少し若い。

中年のほうがまた訊いた。

「免許証、見せてくれる？」

「あんたは？」

「警察だ」

男は防寒着のポケットから手帳を取り出した。北海道警察本部のバッジがついている。身分証明書は、名前を確認できるほどの時間、見せてはくれなかった。しかし、とにかく警察官だ。

仙道は財布から運転免許証を取り出し、相手の目の前にかざした。相手が免許証に手を伸ばしてきたので、仙道はすぐに引っ込めた。

相手の目に、怒りが浮かんだ。

「名前だけ確認してくれ」と仙道は言った。

「なんだよ、その態度」

「同じ道警職員だ。照会してくれ」

「道警職員？」

「そうだ。本部刑事部」

相手がわずかにたじろいだと見えた。

「だから、名前は？」

仙道はもう一度免許証を示した。

「仙道孝司。捜査一課」

仙道は共済組合のカードを取り出して、相手に示した。道警本部共済組合のカードは、関連施設などに出入りするとき、身分証明書の代わりになる。相手がまた手を伸ばしてきたので、仙道は素直にわたしてやった。若いほうの捜査員が、すぐにそのカードを持ってセダンに戻っていった。

「刑事だとして」と相手はいくらか態度をやわらげて言った。「何しているの？　ここは死体発見現場だよ。あんた、べつに仕事できてるわけじゃないでしょう」

「好奇心だ」

「何の関係があるの？」

「好奇心に、何か関係が必要か？」

「部外者に勝手やられちゃ困るよ」

「何か困らせたかい。現場には立ち入っていない」

「うろうろしてるじゃないか」

「違法か？」

「そうじゃないけどさ。捜査中の事件だ」

仙道は、小屋を振り返って訊いた。

「殺害現場もここか？」

「大きなお世話だって」

「まだわかっていないのか」

「あんたに関係ない」

セダンで、若いほうの捜査員が言った。

「間違いありません。仙道孝司警部補です」

中年の捜査員は、不愉快そうに顔をしかめて言った。

「とにかく、余計なことはしないでくれ」

若い捜査員が仙道の前まで戻ってきて、カードを手渡してきた。

中年捜査員のほうが、思い出したという顔で言った。

「あの仙道さんか？」

仙道の療養命令のもとになった事件のことを言っている。あの一件は、道警の警察官の多くがまだ記憶しているのだ。防ぎ得た殺人を未然に防ぐことができず、そのうえ殺害犯まで死なせてしまったあの一件。

「そうだ」と仙道は答えた。

相手の顔に、かすかな憐憫《れんびん》と同情とが入り混じったような表情が現れた。

「辞めたものだと思っていた」

「在職してるよ。このとおり」

「とにかく、ここは所轄にまかせてくれ」

「捜査をしているわけじゃない」

「とにかくだ」

ふたりの捜査員たちは、セダンを発進させて去っていった。

仙道も自分の四輪駆動車に戻り、地図を見ながら、アーサー・リチャーズの住まいを探した。日本人の夫人、ふたりの子供と共に住んでいるという、セルフビルドの家。

すぐに見つかった。小屋から三百メートルほど離れているだろうか。少しずつ増築したとわかる、いくらか複雑なかたちの外観だ。建物のどの部分でも、屋根の角度だけは揃えられている。外壁は塗りムラのある緑色だ。母屋のほかに、ガレージと物置がひとつずつ建っている。小学校低学年らしき男の子と女の子が、ラブラドル・リトリーバーと遊んでいた。窓ガラスの内側に、女性が立っているのが見えた。アーサーの夫人なのだろう。窓から子供たちの様子を見守っているのだろうか。

その住宅の前を通り過ぎ、いまきた道とはべつの坂道を上ってそのペンション街を出た。

道道三四三号線を渡ると、メイン・ストリートと並行する坂道があった。左右に雪の壁ができた、さほど広くはない道だ。その道を二百メートルほど進むと、きょう泊まる小ホテルが見えてきた。ニセコ・スキーヤーズ・イン。二階建ての、銀色の直方体の建物だった。部屋数は八室だというから、ペンションと言ってもよい規模かもしれない。一応室内にバス・トイレはあるというが。

仙道は四輪駆動車を減速し、表示に従って建物の脇の駐車スペースに入れた。

建物には、広い風除室がついていた。風除室の壁の棚にはスキー靴が並んでいる。さらにその脇には、スキーやスノーボードが立てかけられていた。

風除室からロビーに入った。モダン・インテリアの、けっして日本人好みとは言えぬ雰囲気の空間だった。テレビのそばに若い白人男性がふたりいる。テレビは、衛星放送の海外ニュースを放映していた。

カウンターの中から若い日本人女性があいさつしてきた。白いシャツ姿で、名札を胸につけている。杉田という名前らしい。

仙道は、二泊予約されているはずだ、と自分の名を告げた。

アルバイトと見えるその女性は、ノートを確かめて言った。

「はい。中村聡美さまからご予約いただいています」

カードに名を記して、キーを受け取った。部屋は二階の、階段を上がってすぐのところだという。

旅行鞄を持って階段の方向へと歩くと、壁にこのエリアの絵地図が貼られていた。ちょうど新聞紙のサイズだ。

眺めていると、杉田が横にやってきて言った。

「ニセコは初めてですか？」

「いや」仙道は地図に目をやったまま答えた。「十年くらい前が最後だ」

「じゃあ、ずいぶん変わっていますよ」

「白人が多くなっているな」

「ええ、とても。冗談では、ここの公用語は英語だ、って言われてます」杉田は地図の一点を指さした。「ここが、うちです。ここがコンビニで、町の中心みたいなところですね。下の方はペンション街。上のほうは、少し大きめのホテルやコンドミニアム。レストランや酒場は、このコンビニ周辺に多く集まっています」

「三日前に、女性の死体が見つかったね」

杉田が、仙道の顔に目を向けてきた。

「マスコミの方なんですか？」

「いや、ニュースを読んで気になって。平和なところだと思っていたのに」

「平和ですよ。暴力団もいないし」

「その女性は、どういうひとだったの？」

「ニセコで働いていた女性でした」

「知り合い？」

「顔は知っています。ニセコは、狭いところだし。二年も働いていると、働いているひと同士、たいがい顔見知りになりますから」

「警察は、犯人の見当はつけているのかい？」

「さあ、どうなんでしょう」彼女は笑った。「働いていたレストランのマスターが、事情聴取を受けているとかって聞きました」

「レストランは、この近所？」

「ここです」と、杉田はホテルの近くの一点を指さした。「ハングリー・ブル。バーもあります」

「評判は？」

「味ですか？　オージー好み」

「日本人は行かないってことかな？」

「そんなこともないいんですけど」

「突撃してみよう」

杉田は微笑して、カウンターのほうに戻っていった。


仙道は部屋で身支度を整えた。小さな村だということはわかった。車を使わずに歩くつもりだった。しかしオーバーコートだけでは、この地の雪と寒さには耐えられない。ニットのキャップをかぶり、首にはマフラーを巻いた。手袋も欠かせない。深めの防寒靴も持ってきていた。

ハングリー・ブルは、仙道のホテルから百メートルほど下ったところにあった。建物は直径四十センチもある丸太を使ったカナディアン・ログハウスで、そのエリアではよく目立っていた。

コートの肩の雪を払って、その店の中に入った。中はロッキー山中あたりにありそうなレストランの雰囲気だ。入ってすぐがカウンターのあるバー。奥が吹き抜けの広い空間で、正面に暖炉がしつらえられていた。十組ほどの白人客がいる。日本人と見える客は皆無だ。

すぐに日本人ウエイトレスが近寄ってきた。

「禁煙ですが、かまいませんか？」

「ああ」答えてから、彼女に訊いた。「アーサー・リチャーズさんはいる？」

「いま、外出中です。お約束ですか？」

「そうじゃないんだけど」仙道は聡美の名を出して言った。「会うように言われたんだ」

「あ、中村さんのお知り合いですか。もうじき帰ります。お名前うかがっていいですか」

仙道は名乗ってから、バーカウンターのスツールに腰を下ろした。

中にいるのは、日本人の若い男だった。赤いバンダナを頭に巻いている。

仙道は国産ビールを注文した。

グラスが出てきたところで、仙道はその若いバーテンダーに訊いた。

「吉野久美さんもこの店で働いていたんだよね」

バーテンダーはとまどいを見せて言った。

「警察の方ですか？」

「そう」と仙道は正直に言った。「ただし、この事件を捜査しているわけじゃない。ひとに頼まれて、アーサーさんの助けになろうとやってきた」

「ボスは、もうじき帰ってくると思います。きょうも警察署に呼ばれて、事情聴取を受けているんです」

「そうらしいね。吉野久美さんが店を辞めた事情、知っている？」

「ええ」

「教えてくれないか？」

バーテンダーは、ちらりと店の奥に目をやった。ほかの従業員を気にしたのかもしれない。

「警察には話しましたよ」

「ボスと、深刻なトラブルがあったんだって？」

「いや、ちがいます。そうじゃないですって」

「だとしたら、どういうことだったんだ？」

バーテンダーはもう一度周囲を気にしてから言った。

「彼女、ニセコにはよくいる渡りフリーターだったんです」

「渡りフリーター？」

「スキーとかボードやりにきて、そのままここに住み着いて、店を転々と渡り歩く女の子のひとりです。ニセコにはそういう若いのが多いんです」

「きみのような？」

「おれは、去年来たばかりです」

「吉野久美は、年季が入っていたんだ」

「と言っても、三年だったそうですけど。でも、そういうひとたちのあいだには、人脈みたいのもできてるんです。彼女、酒場やレンタル・スキーの店なんかを転々として、今シーズンからこの店でウエイトレスとして働くようになった。でも、フリーター仲間が客でやってくると、伝票ごまかして、ただ酒飲ましたりしてたんです。ボスはそれに気づいて、先週クビにしたんです」

「トラブルって、それかい？」

「ええ。クビを言い渡されたとき、彼女、お客もいる前ですごい剣幕で怒鳴って騒いだ。たしかに事情を知らなければ、ボスと何か個人的なトラブルがあったように見えたかもしれませんが」

入り口のドアが開いて、少し風が吹き込んできた。

入り口の方に目を向けると、やせぎすのスキンヘッドの白人が入ってきたところだった。疲れ切った顔をしていた。

お帰りなさい、とその店の従業員たちが声をかけた。この男が、アーサー・リチャーズなのだろう。ウエイトレスが近寄って、仙道の方を示した。

アーサーと目が合ったので、仙道は黙礼した。

彼はダウンジャケットを壁のフックに掛けて、仙道のそばにやってきた。彼は、滑らかな日本語で言った。

「昨日、中村さんから電話をもらいました。優秀な刑事さんが行くって」

仙道は立ってアーサーと握手した。

「仙道です。道警の刑事だけれど、捜査権限があるわけじゃない。どれだけお役に立てるかわかりませんが」

アーサーは、手を離してから、仙道をまっすぐに見つめてきた。

「ぼくが犯人だと思われています。ぼくじゃない。助けてください」

仙道は、そのブルーの目を見つめ返した。つい、その目の色に嘘がないかを確かめようとした。

相手が真実を言っているか否かは、最初の一瞬の目の色でわかる。そのとき判断できなければ、あとは一時間見つめようと、二十二日間取り調べようと、判断は不可能だ。いまこの一瞬では、判別できなかった。

仙道は言った。

「死体を発見したときの状況など、教えてもらえませんか？」

アーサーはうなずいて、仙道の隣に腰を下ろした。

アーサーの話ではこういうことだった。

三日前、自分が借りているログハウスに新しい客を入れるので、そのコテージの様子を見に行った。その四日前には、二週間滞在したオーストラリア人カップルが帰国していた。三日間、コテージは空いていたのだ。

朝の九時に、アーサーは自宅からそのコテージに向かい、ドアを開けた。ドアがロックされていなかったので、不思議に思った。

居間のドアを開けたとき、ひとが目に入った。居間のカーペットの上に、若い女がうつぶせに倒れていたのだ。おそるおそる近寄って顔を見た。死に顔だった。同時に気づいた。その四日前まで、店で働いていた日本人女性だった。防寒着姿のままで、靴を履いていた。

アーサーはすぐ携帯電話で妻に電話した。コテージで異変があったこと。これから警察に連絡すること。もしかしたら自分が疑われるかもしれないと、そのときにはもう想像していた。

二十分後に警察と救急車が到着した。その場で事情を話していったん解放されたが、その日の午後に警察署に呼ばれて事情聴取を受けた。翌日も朝から五時まで事情聴取だった。そしてきょうもだ。警察はまちがいなく、アーサーを容疑者とみている。個人的なトラブルから吉野久美をどこかで殺害、コテージに運んでから、死体の第一発見者として通報したのだと。

アーサーは、途方に暮れたように話を締めくくった。

「彼女が死んだのは、十七日の深夜から次の日の早朝にかけてのことだそうです。ぼくがクビを言い渡した次の日ですね。ぼくは十七日の夜はずっと、この店ともう一軒の酒場を行ったりきたりしてました。自宅に帰ったのは、午前三時ごろです。その晩はたしかに飲酒運転はしたけど、人殺しなんてしていない。コテージになぜ死体があったのか、ぼくには説明しようがない。ドアは、開いていた。これも、ぼくには説明できません。その三日前にぼくがロックしている。ロックし忘れた可能性もないわけじゃないけど」

そこに、白人のグループ客が入ってきた。アーサーと親しい客たちのようだった。アーサーは失礼と小さく言うと、スツールから降りて客たちに近寄っていった。

問題点は三つだ、と仙道はこれまでにわかったことを整理した。アリバイ、動機、コテージのドアのロックが解除されていたこと。はじめのふたつについては、捜査が進めば明らかになることだ。三つめの点だけは、解決に捜査員の想像力が必要だろうが。

また店に新しい客が入ってきた。顔を見て驚いた。知り合いだ。

向こうは、驚かなかった。ということは、この自分に会うだろうと予測していたということか。

「ひさしぶり」と、その男は仙道のそばまで歩いてきた。「うちの連中から、お前がきていると聞いたんだ。何の好奇心だって？」

守口啓介警部補。かつて札幌の所轄で一緒だった時期がある。仙道より四期年長の捜査員だった。そのころ守口が主任、仙道は平の捜査員という関係だった。彼がいま倶知安署にいるとは知らなかった。

「一緒にどうです？」と、仙道は守口にスツールを勧めた。

「いや」守口は、短い髪にかかった雪を払ってから言った。「よかったら、よそでどうだ？」

アーサーが店の奥から、不愉快そうな表情を守口に向けてきた。守口が、こんどの事件の捜査を担当しているのかもしれない。

「いいですよ」仙道はスツールから降りた。ここでは話したくない話題があるということなのだろう。


雪は相変わらず降り続けている。店に入ったときは、玄関口の前はきれいに除雪されていたが、いまはそこに新しく三センチばかり積もっているようだ。このぶんでは、朝までには四十センチばかりも積もるのだろうか。さすが北海道一の豪雪地帯というだけのことはある。

その雪の中を、守口が先に立って歩いてゆく。坂道を下った先に、目的の店があるようだ。

やがて守口が、ここだとでも言うように一軒の店を指さした。和風の居酒屋のようだ。アーサーの店ではなかった。

中は、日本人客が多かった。白人の比率は、ここでは二割以下と見える。仙道たちは防寒着を脱いで、奥のコーナーで向かい合って腰を下ろした。

守口が、上着のポケットから煙草を取り出して、口にくわえた。

「オージーの店では」彼は煙草に火をつけてから言った。「スモーカーはいづらい。日本人もいづらい」

黙ったままでいると、守口は煙を吐き出してから言った。

「何をやってるんだ？　好奇心なんて答じゃ納得しないぞ」

仙道は答えた。

「プライベートに相談を受けたんですよ。さっきのオージーに容疑がかかってるって。なんとか早めに容疑を晴らしてやってほしいと」

「誰から？」

「あのオージーの関係者」

「どういう権限で、それをする気だ？」

「権限なんてありませんよ。ひとりの市民として、できる範囲で」

「捜査機関を差し置いて、何ができる？」

仙道は守口の冷やかな視線を受け止めて答えた。

「わたしは、ここの住人じゃないから偏見はありません」

「おれだって、ないさ」

「オージーを嫌っているでしょう」

「署では、オージーの逮捕が目標になっているようですが」

「そんなことはない。違法行為や犯罪があれば適切に、相手が日本人のときと同じように処理せよというだけだ」

「いずれにせよ、邪魔をするつもりはないし、権限外のことをしているつもりもありません」

「警察を名乗っているんじゃないか？　休職中なんだろう？　もし公務を騙《かた》っていたら、犯罪だぞ」

「騙ってはいませんよ。職業を訊かれたら、道警職員と名乗るけれども」

「ざっくばらんなところ」守口は上体を仙道のほうに倒してきた。「アーサーが本命じゃないと思う根拠はなんだ？」

「まだ確信を持っているわけじゃないですよ。それを確かめているところです」

「いいか。やつは死体の第一発見者。しかも死体があったのは、やつが管理していた貸し別荘だ。鍵を持っているのは、やつだけだ」

「貸し別荘本来のオーナーも、鍵は持っているでしょう」

「オーナーは東京在住だよ。それに、やつには動機もある。被害者とトラブルを起こしていた」

「仕事を辞めさせただけと聞きましたが」

「飽きて捨てたのさ」

「確かですか？」

「被害者はこれまでも、いろんな店のオーナーと寝ては仕事をもらってきたんだ。今度だけちがうと考える理由はない」

「アリバイはどうです？」

「女の死亡推定時刻、アリバイがないんだ。二軒の店を行ったりきたりしていたというが、店員からも裏付けが取れない。どうしても一時間くらいの空白がある」

「十七日の、深夜ですね」

「そうだ。疑うだけの根拠だろう？」

「わたしは、死体がアーサー管理の貸し別荘で発見されたという点が、逆に気になります。どうしてわざわざ彼は自分の貸し別荘でやったんです？」

「自分が管理している小屋だ。都合がよかったんだろう。だけど、通報の朝には、殺害を隠し通すことは無理だと判断した。その日の朝、あの貸し別荘の前には、除雪車が二台入っていたんだ。ひと目を避けて死体を運び出すことは難しかった。しかも、当日の午後には、オージーの客があそこにくる予定だったんだ。通報するしかなかったのさ」

仙道はあえて反論せずに訊いた。

「そろそろ令状請求ですか？」

「何か物証が出た時点で」

「毎日この雪なんでしょう？」仙道はガラス窓の外を示した。雪は湧くように夜空から降り続けている。この雪がやむことなどあるのかと感じられるくらいに、無限に大量に雪は湧き続けている。「この雪では、日ごとに物証を取るのは難しくなりますね。少し捜査の範囲を広げたほうがいいかもしれない」

「助言してくれるってことか」

「思いつきを口にしただけです」

守口は、煙草を灰皿にねじ込んで立ち上がった。

「明日もここで余計なことをしていたら、本部に通報するぞ。自宅療養中の警官が、勝手な捜査活動やってるぞ、とな」

「知り合いの相談に乗っているだけです」

「いいな。忠告したぞ」

守口は席を立ち、大股に居酒屋の出入り口へと向かっていった。


アーサーが経営するもうひとつの店は、コンビニエンス・ストアの向かい側にあった。ネッド・ケリーという名のパブだった。

店に入ってみると、バーテンダーは白人だった。二十代の、髪を短く刈った男だ。巨漢だった。堂々と働いているのだから、就労許可証は持っているのだろう。日本語を話した。

仙道は、聡美とアーサーの名を出して言った。

「ちょっと聞かせてくれないか」

「はい。どうぞ」

「吉野久美という女性を知っている?」

「ええ。死にましたけど」

「どんな女性だった?」

「困った日本人」

「どういう意味で?」

　バーテンダーは笑った。

「気を悪くしないでください」

「しないよ。想像はつく」

「彼女はボーイフレンドを見つけるのに、いつも一生懸命。オージーには評判悪かった。近づくなと、男たちは伝え合ってた」

「積極的すぎるのか?」

「すぐに結婚してくれと言い出すらしい。焦ってた」

　彼女の歳は二十六だったはず。結婚を焦り出す歳なのだろうか。それともここが、競争が激しい土地であるせいか。たしかにスキーやスノーボードをやる若い子は、日本じゅうから集まってきているはずだが。

「そういうことで、敬遠されてたのか」

「変な噂もあった」

「変な?」

「想像できるでしょう？」

「ああ。でも言ってくれ」

「高校生のころからエンコーをしていたらしい」

エンコー？　援助交際か？

白人のバーテンダーはうなずいた。

「そう。フッカー。まともなオージーは、近寄らない」

「高校生のころから、っていうことはつまり」

「いつもおカネでぴいぴいしていた」

「サンクス」


酒場とレストランの並ぶその通りで、さらに二軒の店に入った。三軒目のバーでも、仙道はバーテンダーに訊いた。

「吉野久美って女性は、ここにはよく来るかい？」

バーテンダーはかすかに口元をゆるめた。「彼女はもういないんですよ」

仙道はとぼけて訊いた。

「ほう、どうした？」

「死んじゃったんです。つい先日ですけどね」

「事故かい？」

「いえ、殺されたみたいですけど」

そのことを悲しんでいるようには見えない表情だった。

「物騒だね。でも、残念だな。せっかく紹介してもらったのに。あいつめ」

「どなたの紹介です」

「知ってるんじゃないのか」

「氏家さんですか」

「どうしてわかる」

バーテンダーは仙道から瞬時目をそらして、ためらいがちに言った。

「そっちの関係のひとかと思ったから」

まさか警察官と見抜かれたわけではあるまい。しかしこの職業では、どうしても堅気とは思われなくなる。暴力団とは言わないまでも、株屋や不動産関係者に見られることはしばしばだった。氏家というのも、その手の業界の男なのだろう。

「がっくりだな」と仙道は軽い調子で言った。「いま氏家とは、どこに行ったら会えるだろう」

「事務所にいると思いますよ。もう少し遅くなったら、どこかの酒場でしょうか」

「ハングリー・ブルとか」

「いえ、スノークイーンとか、こことか」

「ありがとう」

仙道はグラスを持って壁際のカウンターへと歩き、ビールを半分だけ飲んでから、店の外に出た。

　スノークイーンはもう七分の入りだった。客のほとんどは、テーブル席のほうに着いている。カウンターは空いていた。

　仙道はカウンターの左端に腰を下ろした。さっきは店に音楽は流れていなかったが、いまは小さな音量でジャズが流れている。ピアノ・トリオの曲だった。

　聡美が向かい側に立った。期待に満ちた顔だった。

「いかがです？」

　仙道は答えた。

「まだ何も。アーサーには会った。疑われているので、助けてくれと言っていた」

「アーサーにこだわっていたら、どんどん真相から遠のいてしまう。アーサーが無実だとわかったころには、きっと真犯人は逃げきってしまう」

「ひとつ教えてくれ。ニセコに氏家という男がいるらしいが、どんなやつだ」

　聡美は驚いた顔を見せた。

「いま店に来ています。ニセコの有力者のひとり。不動産屋さん」

　不動産屋か。想像はずばりだった。

　仙道は振り向かないままに訊いた。

「もしかして、ひらふ不動産商会というのは？」

「氏家さんの会社」

「いま、うしろに？」

「ええ。同業のひとたち三人と」

背後で哄笑が聞こえた。なるほどその業界の連中らしい、傍目《はため》も気にしない笑い声だ。

聡美は言った。

「今度、香港の資本がやってくるらしい。オーストラリア資本の進出が一段落したところなので、あのひとたちほっとしているみたいです」

「ほっとしたとは？」

「この村の不動産業者たちは、まだまだ土地の値上がりは続くとみて、空き地や古い別荘を片っ端から買いまくったんです。でも、投資が止まって、あのひとたちは一時パニックになっていた。でも、いま香港資本がくるとなれば、大損しないですむから」

「うしろの連中の近くに席はあるかな」

聡美は、仙道の肩ごしに店の奥を見て言った。

「ええ。すぐ隣が空いてる」

「移りたい」

「何か飲みます？　運びます」

「モスコミュールを」

「はい。左端の、ジャケットにネクタイのひとが、氏家さん」

仙道はカウンターから離れて、振り返った。

奥の壁際の丸テーブルを、四人の男が囲んでいる。四人とも、年格好がどことなく似通っていた。仙道は、自分がさきほどこの男たちと同じ業界の人間とみられたことに、少々の落胆を感じた。おれはこんな男たちのように柄が悪いのだろうか。

仙道は氏家たちのテーブルの右側に腰を下ろし、聞き耳を立てた。

氏家たちの話題は、もっぱら近辺の不動産価格であり、取引成立もしくは不成立という情報の交換だった。聡美が言っていたように、彼らは上機嫌だった。香港の投資家がこの地に目をつけだしたことで、久しくなかった儲け話が、また現れてきたということらしい。

しかもその香港人たちの現地視察は、つぎの週にもあるらしい。うまくゆけば、その日のうちに契約成立、数日中には彼らの銀行口座に大金が振り込まれる手筈となっているとのことだ。

氏家が言っていた。

「もうオージーには、好きにやらせない。この数年、好き放題いいとこ取りされてきたものな」

氏家の隣に座った男が同意した。

「捨て値で買ってよ、べらぼうな値段で転売転売。あんなバカを見た時代は終わりさね」

「そう。これからはまた、おれたちの時代さ。中国、香港と組んで、おれたちもいい思いをするときがきたんだ」

「少しは反省しろってな、オージーたち」

氏家が固有名詞を出して言った。

「フィンドレーも、ダンも、リチャーズも」

「リチャーズはいやでも反省するだろう」

氏家が笑った。

「ちがいない。臭い飯食ってさ」

ひとりが言った。

「お、時間だ。行ってみるか」

その四人組は立ち上がった。

氏家が言った。

「じゃあ、女のことはおれにまかせてもらうということで」

彼らが店を出ていってから、仙道はカウンターに戻った。

聡美が小首をかしげてきた。何かわかりましたかと訊いている顔だ。

仙道は聡美に訊いた。

「あの氏家という男、不動産のほかのビジネスは？」

聡美は考える素振りを見せて言った。

「手広くやっているはずです。町のほうで、運送会社とか。モーテルとか、フィリピン・パブのオーナーだとも聞いたことがあります」

モーテルに、フィリピン・パブ。ひっかかるものがあった。

仙道は、雪の坂道を下って、ふたたびハングリー・ブルに入った。

奥では、オーストラリア人客たちが肩を組み、大合唱のさなかだ。日本人の従業員たちは、微笑して食器を片づけている。

アーサーが仙道に気づいて近づいてきた。

「少し話ができるかな」仙道は訊いた。

アーサーは、店内を見渡し、バーのテーブル席を示した。

「あそこで」

アーサーが向かい側に腰掛けたところで、仙道は訊いた。

「氏家という男と、何かトラブルは起こっていないかい？」

アーサーは驚いた顔を見せた。

「ひらふ不動産商会の？」

「そう。そこの氏家」

「不動産をめぐっては」とアーサーは言った。「じつはトラブルだらけなんです。ニセコがこんなに人気が出る前に、ぼくはずいぶん安く土地も買ったし、長期で借りる契約もしてきた。いまになって、そんなに高く転売するのに買い叩かれたとか、詐欺だとか」

「氏家とも、あるんだね」

「ええ。あのコテージのある土地も、いま氏家さんのものです。追い立てをくらって、去年は内容証明郵便ももらった」

「どうなってる?」

「ぼくが早くから借りてきたコテージです。安く借りられたのは、ぼくの先見の明ってやつだ。ぼくはあそこでビジネスをしている。追い出される理由はない」

「最近、彼と話し合いをしたかい?」

「いいえ。ビジネスのことになったら、ぼくは手ごわいですからね。次は裁判になるんじゃないでしょうか」

「氏家のほかに、何件くらいトラブルを抱えてる?」

「この店、ネッド・ケリー。コンドミニアム用地でも。たくさんありますよ。ぼくの商売仇は、四、五人はいる」

「みんなきみを恨んでいるんだね」

アーサーは笑った。

「ぼくが死ねばいいと思ってるでしょうね」ふいにアーサーは真顔になった。瞳孔が大きくひらいた。「まさか」

仙道は、軽く息を吐いてから話題を変えた。

「ひとつ、何の根拠もない質問をするけど」

「何です?」

「中村聡美さんとは、親しい?」

アーサーはまばたきした。質問が意外すぎたようだ。

「どうだい？」と仙道は答をうながした。

少し逡巡《しゅんじゅん》を見せてから、アーサーは言った。

「事情聴取で言うわけにはゆきません」

その答えかたで、どういう事情かわかった。

仙道は訊いた。

「どうして？」

「小さな村です。それを口にして、自分の無実をわかってもらうわけにはゆかない。いずれ、噂になるでしょう」

「黙っていれば、逮捕、起訴だ」

「ぼくには」アーサーは目を伏せた。「妻も子供も犬もいるんです」

「殺人犯にされるよりもよくないか」

「日本の警察は、それほど馬鹿じゃないでしょう。余計なことを言わなくても、真犯人を見つけてくれる」

「期待しすぎないほうがいい」

「近々逮捕ですか？」

「わからない。でも、警察はきみ以外を疑っていない」

「逮捕されたときは、明かすしかないでしょうね」

「いったん逮捕となれば、警察も検察も、きみを全力で有罪にするよ。面子《メンツ》にかけても」

「でも、ぼくが事情聴取で話せば、彼女のところにも警察が行く。事情聴取で警察署に呼ばれるかもしれない。無関係なのに」

店の奥のほうから、アーサーを呼ぶ声があった。

アーサーは声のほうに顔を向けてうなずき、仙道に言った。

「友達が、たくさんきているんです。あっちに行ってきます」

仙道はうなずいた。


雪はまだ降りやむ気配もなかった。

昨日からもう五十センチは積もったようだ。ほうぼうで、大型土木機械の動く音がする。このエリア一帯、朝の除雪作業がおこなわれているのだ。

仙道は、ホテルの食堂で朝食を取ったあと、腕時計を見てから携帯電話を取り出した。早めに、倶知安署の守口警部補に伝えねばならないことがある。

電話に出た守口は、不愉快そうに言った。

「ニセコを出るんだろうな」

「ええ。その前に、守口さんに会ってゆきたい。十時にこっちではどうです？」

「アーサーの事情聴取が始まる」

「きょうは、遅らせてもいいと思いますよ」

守口は少し沈黙していたが、やがて訊いた。

「余計なことをしてくれたのか？」

「たまたま情報が耳に入っただけですがね」

「筋のいい情報か？」

「むしろ、筋のいい分析なのかもしれない」

「事情聴取を延ばしてもいいだけの？」

「その価値はあると思いますよ」

「いますぐ行ってやる」

電話をいったん切ると、もうひとつの番号にかけた。

「おはようございます」聡美が、不安を感じさせる声で言った。「悪いニュースじゃないといいんだけど」

「悪いニュースじゃない。捜査の方向は変わるだろう。ぼくは、昼までにニセコを離れる」

「あ、いい方向に変わるんですね」

「たぶんね。離れる前に、会えるかな」

「ランチはいかがです」聡美は、このオージー・ビレッジでも随一だというイタリアン・レストランの名を挙げた。「十二時に」

守口は、若い部下を従えて、仙道の泊まるホテルに現れた。

ほかの客たちはみなゲレンデに出ている。いまこのラウンジには、仙道しかいなかった。

守口は、部下に離れているよう指示してから、仙道の目の前の椅子に着いた。その顔は、なにごとか期待しているようでもあり、同時にいまいましげにも見えた。

仙道は言った。

「捜査の対象を広げてはどうか、ってサジェスチョンをしたいんですよ」

守口は不機嫌そうな声で言った。

「根拠はあるんだろうな」

「わたしが手に入れられるのは、状況証拠だけですがね」

「捜査対象は誰だと言うんだ？」

「アーサーとトラブルのある不動産屋たち」

「大勢いるだろう。オージーたちは、投資のことでは地元とずっと揉《も》め続けてる」

「氏家。ひらふ不動産商会」

「やつか。うちの署では、フィリピン・パブの陰の経営者ってことでも有名だ。だけど、どうしてだ？」

「氏家は、近々香港から投資家を迎えて、あの山小屋を含めた土地を売るつもりです。そのためには、居座っているアーサーが邪魔だ。あの土地の権利関係をまっさらにしなくちゃならなかった。緊急に」

守口は鼻で笑った。

「だからって、ひとをひとり殺すか？」

「被害者は、トラブル・メーカーだった。署にも、きっと何か事件ざたになった記録はあるでしょう？　彼女は、氏家という男の裏ビジネスでも、何かトラブルを起こしていたはずです」

「だから氏家が殺して、あの小屋に死体を放り込んだというのか？」

「殺害は、別人かもしれない。殺人も、そもそも偶発的なものだった可能性はある。殺人が起こってから、関係者はその死体が使えると思いついたのかもしれない。死体が出たとなれば、もう商売には使えない。更地にできる。権利関係がなくなって、土地は売りやすくなる。いずれにせよ、容疑をかける対象をアーサーひとりに絞るのは危険です」

守口は腕を組んで言った。

「鍵の件が解決つかないぞ」

「あの土地はいま氏家の所有だそうです。スペア・キーをオーナーから受け取っていてもおかしくない。いや、そもそも貸し別荘の鍵なんて、いくつスペアが作られているか、わかったものじゃない」

守口は黙り込んだ。仙道の解釈を吟味しているのだろう。鼻息が荒くなった。

仙道が待っていると、守口は不本意そうに言った。

「アーサーの容疑が晴れたとは言えないぞ」

「それでも、鍵の件については、説明はつく。死体があの小屋にあった理由についても。あとは関係者のアリバイだけです。そろそろ、被害者の衣類の付着物についても、報告がきてるんじゃないですか」

「たしかに」

仙道は、窓の外を示して言った。

「この大雪が気になりませんか。一日遅れれば、それだけ物証を出すのは難しくなる。捜査対象は、いまこの瞬間にでも、広げるべきですよ」

守口はまた腕を組んで、天井を仰いだ。


そのレストランの少し引っ込んだ席で、聡美は仙道を見つめてきた。目には安堵がある。もう事情は把握しているのだろう。

聡美は、腰を下ろすなり言った。

「さっき、アーサーから電話をもらった。きょうの事情聴取はなくなったんですって。容疑は晴れたってことでしょうね」

「たぶんね」

仙道はコーヒーをすすってから聡美を見つめた。聡美は、まばたきして背を起こした。

仙道は言った。

「最後にひとつだけ、あんたの口から言ってもらいたいことがあるんだ」

「なんでしょう?」

「アーサーとは、ずっと前から?」

聡美はすっと視線をそらし、頬をこわばらせた。二人の関係を気づかれていたとは、この瞬間まで夢にも思っていなかったようだ。聡美の横顔は、そのことには触れて欲しくない、と言っているようにも見えた。

仙道は聡美の答を待った。

かなり長い沈黙のあとに、聡美は仙道を見つめてきた。

「いいえ」聡美は言い直した。「ええ。でも、長いわけじゃない。仕事仲間だし、仲はいい。この村を面白いものにするために、いろいろ一緒にやってきた。こうなるつもりはなかったんです」

「きみたちの役に立てて、うれしい」

「皮肉じゃないですよね？」

「わからん。最初から正直に言ってくれてたらとは思う」

聡美はセーターの袖口を引っ張り、唇を嚙んでから言った。

「奥さんとも友達なんです。続けるつもりもないの。ただ、あんなことがあった夜に、あんなことが起こったなんて」

「このコーヒー、ごちそうになっていいかな」

聡美は目を丸くした。

「ランチは？」

「いい。用事も終わったし、早めに中山峠を越えてしまいたい」

「わたし、怒らせました？　仙道さんを不愉快にさせた？」

「いや。面白い土地を見せてもらった。この次はゆっくり来たい」

聡美はテーブルの上で両手を組み、懇願するように言った。

「来てください。今度は、ゆっくりワインを飲んでいってください」

聡美の目の色は、と仙道はあらためて意識した。色素が薄く、淡い灰色をしている。胸のうちまですっかり見通せると思えるような、透明度のある瞳だった。その奥に何か隠しごとや秘めた想いがあるとは感じさせなかった。たぶん昨日再会した瞬間の彼女の目も、いまと同じことを語っていたはずだ。自分はわずかな気の弛《ゆる》みから、それを見逃しただけだ。

仙道は腰を上げた。

「またくるよ」

また空が気になった。午後、中山峠は通行可能だろうか。

出入り口のドアを開けたとき、うしろから聡美に呼びかけられたような気がした。仙道は振り返らなかった。後ろ手にその内ドアを閉じ、風除室の外ドアに手をかけた。ドアは予想外に重かった。風が出てきているようだ。風圧が、ドアを外から押さえ込んでいる。吹雪が近づいているのかもしれなかった。今夜は、村は荒れることになるのだろう。

本音を言えば、村が荒れるその様子を、見たくないわけでもないが。

廃墟に乞う

携帯電話が振動したのは、仙道孝司《せんどうたかし》が岸に上がった直後だった。午後の四時になろうかという時刻だ。すでに陽光は西の山の陰に隠れている。湖面を渡る風がかなり涼しくなってきていた。

フィッシング・ベストのポケットから携帯電話を取り出してモニターを確認した。かけてきたのは、かつて北海道警察本部の札幌中央署刑事一課で上司だった捜査員だった。かなりアクの強い男ではあったが、しかし有能だった。いろいろな意味で、仙道を鍛えてくれた上司だったと言ってもいい。七、八年前にお互いに異動になって、その後顔を合わせたことはない。山岸克夫。いま階級は警部だろう。

電話を取ると、山岸が言った。

「休職、長引いているな」

仙道は、ウェダーを引きずって岸を歩きながら言った。

「なかなか復職が認められません」

「いま、うちか？」

「いいえ。医者から命令されて、山の中の温泉地にきてます」

「温泉療養か」山岸は落胆したような声で言った。「おれは、先月からまた本部捜査一課に戻った。札幌で、またお前と一杯やろうと思ってな」

「残念ですけど。この次ですね」

「いつ札幌に帰ってくる？」

「明日で一週間なんです。明日、帰るつもりでした」

「そうか。じゃあ、また近々やれるな」

「そうですね。軽くなら」

「休職していても、ときどきは非公式に捜査を手伝ってるんだって？」

「手伝ってるわけじゃありませんが、経験を貸したことはあります」

「そういえば」と、山岸は口調を変えた。「船橋のあの事件、読んだか？」

「船橋？　何のことです？」

この一週間、逗留中のひなびた温泉旅館ではろくに新聞も読んではいなかった。夕食のとき、食堂でテレビのニュースを観るぐらいだ。

「一昨日、千葉の船橋で」と山岸は言った。「四十代のデリヘル嬢が殺された。現場はラブホテル。被疑者は特定されていない」

「それが何か？」

「いや、手口がな。おれたちの扱った事件を連想させたんだ。いま電話する気になったのも、きっとそのせいだろう」

まったく正直な男だった。ついでに思い出した、と言うことが相手を脱力させるとは夢にも考えない。彼の配偶者はよく結婚生活を続けていられると、山岸の部下になった当時、何度も思ったものだ。

その想いは隠して、仙道は訊いた。

「どんな手口なんです？」

「女の顔に鈍器を叩きつけた。新聞記事だけどな。何か連想しないか？」

山岸からそう問われれば、思い出すのはひとつだけだ。十三年前に担当した、札幌の娼婦殺害事件。被害者の苗字は、少し珍しいものだった。田向《たむかい》。フルネームは、田向恭子といった。

あのときも、その殺害の手口は被害者の顔に鈍器を何度も叩きつけるというものだった。仙道たちは現場であるラブホテルの遺留品からすぐに被疑者を割り出し、事件発生から七日目に逮捕した。

「でも」と仙道は言った。「山岸さんは、まさかあのときのあいつが、こんどの件でも加害者だと言ってるわけじゃないでしょうね」

「まだ情報が何もないのと同じだからな。だけど、現場がラブホテル。被害者の職業は似通ってる。手口が似ている」

「だってあいつ」逮捕した犯人の名前がすぐに思い出された。その風貌と一緒に。「古川幸男。まだ刑務所でしょう」

言ってから思い出した。あの事件の公判では、国選弁護人ではなく、強力な私設弁護団が結成されて古川幸男の弁護にあたった。検察は殺人罪で起訴したが、札幌地方裁判所は傷害致死と認定。判決はたしか懲役十二年だったはずだ。検察は控訴したが、高裁判決も一審支持。それで法的には決着のついた事件だった。

ということは、もしかするといまごろ古川は釈放されているのか?

山岸が愉快そうに言った。

「たぶんおれと同じことを想像したろう」

「たぶんそうでしょう。だけど、単に似通っているというだけですよ。地理的に離れすぎている」

「だといいがな。古川を殺人罪に問わなかった結果がこれ、ってことは、おれもあまり考えたくないんだ」

「その事件、今朝の新聞には出てるんですね」

山岸はスポーツ紙の名をふたつ挙げて言った。

「例のとおりだ。こういう事件だと、スポーツ新聞が張り切る」山岸は口調を変えた。「ま、まだ療養中って言うなら、余計なことは考えるな。ゆっくり温泉につかってろ」

「明日帰るつもりですって」

「近いうちに、またな」

携帯電話をベストのポケットに収めてから、仙道は岸に置いた釣道具のそばに戻った。これから旅館に帰り、すぐにいちばん近いコンビニエンス・ストアまで行って、手あたり次第に新聞を買ってこよう。旅館からコンビニのある町まで、車でせいぜい二十分ぐらいだろう。

温泉に行くように勧めた医師の言葉が思い出された。

「警察の仕事のことは忘れること。できれば新聞も読まないほうがいい。本は読んでもいいけれど、犯罪小説はだめ」

自分はその指示を無視して、新聞の犯罪記事を読むことになるわけだが。

仙道に湯治を勧めたその医師は、北海道警察本部が指定する心療内科医だった。月に一度の診察のとき、その心療内科の医師は、仙道の一カ月の生活の様子を聞いてから言ったのだ。

これではいつまでもPTSDが治らない。明日から一週間、温泉に行きなさい。ただし定山渓《じょうざんけい》温泉は不可だ。あそこには警友会の保養所があるが、あそこに行くのであればけっきょく警察にいるのと同じことだ。警官のいない温泉地で、一週間、完全に仕事のことを忘れて過ごしなさいと。

最後に医師はつけ加えた。これは、単に勧めているのではない。担当医師としての指示です、と。

仙道自身には、べつに医師に反抗するつもりもなかった。指示を無視して職場復帰が遅れるぐらいなら、素直に従う。

その約束を果たすべく、六日前から仙道は北海道東部、十勝地方の山奥の温泉宿に逗留していたのだった。そこは釣り師たちがよく利用しているという宿で、近くにある湖がニジマスのよい釣り場なのだ。十年以上も前、釣りを初めて覚えたころに、同僚たちと行き、その旅館に一泊だけしたことがあった。部屋数はいまでも二十室弱だという木造のひなびた旅館だった。

それからきょうまで、仙道は日中はニジマス釣りに湖に出かけて、黙したまま自然と向かい合った。夜は本も読まず、持参した囲碁のゲームソフトで時間をつぶした。

しかし毎晩の似たような料理にも飽きたし、そろそろ退屈してきていた。自分はもう十分に俗世間から離れ、精神の安定と平衡を取り戻したという感覚があった。このタイミングで、山岸から電話があったのは悪くなかった。来週あたり、彼と札幌市内の居酒屋で再会して酒を飲むことになるのだろう。

湖岸を出発すると、仙道はいったん旅館に戻ってから、町まで下りた。コンビニにはその日の新聞が四紙残っていた。

新聞は、どれも東京で起こったＯＬ殺人事件を大きく取り上げていた。同僚の男が住居侵入で逮捕され、殺害を認めたという事件だ。

船橋で起こったという主婦殺害事件は、ずっと小さな扱いだった。東京の事件の被害者は、二十三歳の美貌の女性だ。船橋の事件は四十二歳の女性。その点だけ取っても、マスメディアがどっちに群がるかわかるというものだった。

それでも、スポーツ紙はわりあい詳しく報じていた。記事によれば、その四十二歳の被害者は、ラブホテルの一室で殺されたのだ。新聞記事では被害者をデリヘル嬢と書いているものと、出会い系サイトを使っていた援交主婦としているもののふたつがあった。

事件は一昨日の深夜に起こったという。ラブホテルの部屋で二時間の休憩時間を過ぎても問い合わせの電話に応じない客があった。従業員が部屋に入ってみると、ベッドの上で女性が死んでいた。顔面を鈍器で何度も殴られたような傷があったという。女と一緒に部屋に入っていた男性客は消えていた。監視カメラは、男が出て行くところは映していない。監視カメラの死角からホテルの外に逃げたのだろうと想像できた。この男性客が被疑者である。

指紋や監視カメラの映像など、遺留品や証拠物件は多いようであるし、被疑者の特定は容易だろうと推測される。ホテル側の話では、消えた男性客は三十歳から四十歳ぐらい。髪が短く、フリーターふうにも見える外見の男だったという。

なるほどたしかに、この新聞情報を読むだけでも、ついあの古川幸男が犯した殺人事件を連想してしまう。構図が十三年前のあの事件とよく似ていた。

旅館での食事どき、テレビニュースも見たが、ごく簡単な報道しかなかった。テレビの関心はいま、圧倒的に東京の事件のほうに向いている。

食堂を出て部屋に戻ろうとしたとき、ロビーの壁に貼られた北海道地図に目が留まった。ふいに、明日は寄り道しようか、という気持になった。いきなり札幌に帰るのではなく、時間をかけ、いわば身体馴らしをしながら、都会のリズムに戻ってゆくのがよいのではないか。最短ルートからはずれて数時間を過ごそう。一日かけてゆっくりと自分の部屋に帰ろう。

どこに寄り道するかは、そう考えた瞬間に決まっていた。かつて炭鉱で栄え、いまや衰退著しいことで有名になった町。さっき山岸との電話で思い出した、古川幸男の生まれ故郷だ。仙道はかつて古川の取り調べを担当したとき、相手に言われた。

知らないのかい？　行ったこともないのかい？

古川はその表情で仙道を、取り調べ担当官として失格と宣告したのだ。それまでの態度が一変し、仙道を明らかに侮蔑し始めた。素直ではなくなった。

仙道はやむなく上司の山岸に供述調書の作成を全面的にまかせて、その作業から身を引いた。彼は犯行についてはすでに認めていたから、あとは公判に耐えうる供述調書を作成するだけだった。

知らないのかい？　行ったこともないのかい？

仙道は、北海道に生まれ育ちながら、これまでその町には一度も行ったことがなかったのだ。繁栄の時期と衰退した現状との落差が極端すぎるということで、逆に有名な小都市だ。札幌からもさほど遠くはない。町全体にかつての炭鉱施設が残っており、廃墟ファンなどには人気の町だともいう。先年とうとう栗山《くりやま》町と合併し、独立した自治体の座から下りた。

だから彼のあの問いは、そんな怠惰な、あるいはそれほどに好奇心に欠ける刑事が、おれの言うことを理解できるのか、という意味のはずだった。こんな若い刑事に供述したところで、何も理解してもらえない、という諦観もまじっていたろう。もしその町の衰退ぶりを知っているなら、自分の生い立ちの不幸も多少はわかるはずだと。

しかし仙道には、それを知っていたところでどうなるという想いもあった。生まれ育った環境がどうであれ、警察官としては犯罪者がなした事実を冷徹に調べて記録するだけだ。犯罪を認めた犯人に対して、過度の思い入れは禁物だった。

その分岐点の手前で、仙道孝司は車を停めた。

朝に十勝のあの温泉宿を出発、道東自動車道の狩勝《かりかち》トンネルを抜けて、道央の山岳部に入った。このあと札幌までの最短コースを取るなら、夕張《ゆうばり》市に入って再び道東自動車道に乗ることになる。しかし、きょうはその最短コースからはずれて、夕張市の西隣にあるその町に寄るのだった。

仙道は道路地図を開いて道を再確認した。いま自分は国道二七四号線にいるが、この先の分岐で北に折れ、夕張市を抜ける。道道三八号を途中でまた折れて峠をひとつ越え、その町、というか、栗山町のその地区に向かうのだ。そのあとは岩見沢市に出て、道央自動車道に乗る。そのような帰路となるだろう。

仙道は再び車を発進させ、信号のあるT字路を右折した。ここは行政域としてはすでに夕張市である。

仙道は、古川の生まれ故郷の町には行ったことがないが、この夕張市には仕事できたことがあった。七年前の秋だ。この町出身の男が、神奈川県で同居していた女性とその娘を殺して逃走した事件で、神奈川県警の捜査を応援したのだ。神奈川県警の捜査員を案内するかたちで、犯人の生家を中心にした聞き込みを手伝った。

じっさい犯人は事件後、ひそかにこの町に戻っていたのだった。生家に近い山の中でテント暮らしを続け、ときおり山から町に出て食料を買い込んでいた。所持金を使い果たした後、観念して夕張署に出頭した。この事実を聞いて、仙道は悔やんだものだった。自分がこの町で関係者に直接聞き込みをしていたなら、犯人が町に戻ってきているという感触を得たはずだった。ふた月近くもテント生活をさせてはおかなかった。

運転を続けながら、仙道は山岸が言っていたあの事件の顚末《てんまつ》についても、記憶の底から引き出した。

それは仙道が札幌中央署刑事一課にいたときに起こった殺人事件だった。四十歳になる女性が、札幌のラブホテルの一室で殺害されたのだ。一緒に泊まった男性客は、客室から姿をくらました。殺害の方法は、被害者の顔面を鈍器で殴るというものだった。仙道も現場に駆けつけて、運ばれる直前の死体を見たが、思わず目をそむけたくなるような凄惨《せいさん》な死に顔だった。数日、思い出すたびに嘔《おう》気《き》を感じ、ろくに食事ができなかったほどだ。

被害者は、当時はやり出した派遣型マッサージ嬢だった。いわゆるデリバリー・ヘルス嬢。新聞報道などでも嬢とは書かれたが、年齢を考えればその呼び方には多少の無理があった。ヘルス・レディとでも呼ぶのが現実に近かったろう。生活安全課の情報では、そのヘルス・レディは客の求めに応じて性交渉も持っていたようだという。つまりは客のほうも、最初から娼婦として呼んだものにちがいなかった。

凶器は、ビールの小瓶だった。犯人が持ち込んだものだ。犯人はその瓶の口を持ち、底の縁にあたる部分で被害者の顔面を何度も強打したのだ。

当時はまだ携帯電話の普及率はさほどでもなかったから、携帯電話の通話記録から犯人を特定することはできなかった。しかし、遺留品は多かった。事件翌日に設置された捜査本部は、わりあい早い段階で被疑者を割り出すことができた。

被疑者は、古川幸男。少年時代に、旭川でも娼婦殺害事件を起こして、少年院送りになった男だった。

古川の関係先を調べると、古川が中学時代に入っていた養護施設に行き当たった。岩見沢市にあるその施設に収容されていたころ、古川は所長によくなついていたらしい。その元所長に接触すると、事件直前に古川から電話があったとわかった。しばらく愛知県で働いていたが、仕事を変えることにしたのでその前に訪ねてゆきたい、という意味のことを言っていたとのことだった。仙道は山岸と共に、その元所長宅に張り込んだ。事件発生から七日目、古川は読みどおりに現れた。仙道たちは古川を逮捕した。

古川は、逮捕には抵抗しなかった。ただ、ひどく激しく失望した様子を見せた。元所長が自分についての情報を警察に伝えたことが衝撃だったようだ。古川にとってそれは、親に裏切られたような気分だったのかもしれない。

古川は、犯行自体は素直に認めた。性交渉のあとカネの支払いをめぐって言い争いになり、かっとなってビールの瓶で殴ったと。しかし、計画性と殺意については否認した。検察は古川のその主張を認めず、殺人罪で起訴した。検察は、起訴状朗読で、古川が十七歳のときにもやはり同じような手口で女性を殺していることに触れ、犯行の残忍さを強調した。

裁判では、やはり計画性と殺意の有無が争点となった。弁護団は凶器がビール瓶であったことを根拠に、それが偶発的な暴行であったと主張した。事件は過失致死であるとも。

仙道は、公判を一度だけ傍聴した。捜査員はふつう、自分の関わった事件の公判を傍聴することはない。このときは、まだ仙道も、関わった事件にはとことんつきあってみよう、という気持があったのだ。

傍聴したのは、弁護側による口頭弁論のときである。この日の公判では、弁護団は古川にいくつも質問をして、彼が衰退した旧炭鉱町で極貧の生活を送っていたこと、母親に捨てられた子供であることを明らかにした。どの質問に対しても、古川は言いにくそうに答えていた。傍聴していた仙道にとって、その成育環境の悲惨さは想像を超えたレベルのものだった。仙道はその後も、古川ほどの極貧の中で育った犯罪者には出会ったことがない。

検察は、それが二人目の殺人であることと、古川の矯正の不可能性を訴えて、無期懲役を求刑した。

判事は弁護団の過失致死の主張も、同時に検察の殺人という論告も退けた。傷害致死罪で古川に懲役十二年の刑を言い渡したのだ。


夕張の谷間が少しずつ細くなってきた。いったん集落が途切れたと見えたが、すぐにまた公共施設や団地ふうの建物が現れてきた。夕張市は、谷間の幹線道に沿って集落が長く連なる町なのだ。谷の最も奥、かつて炭鉱施設が密集し、商業地としても賑わっていたというエリアの脇を通過した。いまも市役所や警察署、診療所など町の主要な公共施設が集中する一帯だ。ホテルもある。

それなりに大きな建物が集まってはいるが、道を歩くひとの姿はほとんどなかった。老いた牛がひっそりと身を縮めているような印象がある寂れた市街地だった。

やがて三八号線は、勾配を増して峠道となった。ヘアピン・カーブが増えてきた。山中を三分も走ると、また分岐があった。標識を見ると、直進すれば岩見沢市の旧万字《まんじ》炭鉱地区に出る。左手に曲がると、目的の町である。

左折して山道をさらに進むと、トンネルがあった。長さは百メートルばかり。抜けると、視界が広がって、べつの谷に入ったのだとわかった。ここが古川幸男の出生地のはずである。夕張と似た性格の、かつての炭鉱町だ。最盛期は人口五万を誇ったが、その後は四千を割り、先年栗山町と合併した。かつての都市名は、いまは栗山町の一地区名として残っているだけだ。

峠を十分ほど下って、その町のかつての中心市街地に入った。盆地の中の、明らかにズリ山と見える丘に囲まれた場所だ。

ガソリン・スタンドのある四つ角に出た。

その四つ角を右に折れると、五十メートル先にかつてはＪＲの駅だった建物があった。いまは喫茶店となっているようだ。通りの右手に、大きな和風建築。看板には旅館と記されているが、営業しているようには見えない。

旅館の向かい側には、町役場の出張所があった。かつての市役所で、一応は鉄筋コンクリート造りの二階建ての建物だった。しかし、築四十年は経っているだろう。黴《かび》なのか、建物の外壁は黒ずんでいる。

旧駅前の広場を一周して向きを変え、再び四つ角に出て右折した。道沿いに、木造二階建ての商店が並んでいる。しかし、大部分はシャッターを降ろしたままだ。傾いた建物もある。道の左手に、小学校の建物と運動場が見えてきた。

全長四百メートルほどの中心街だった。ひなびた町ではあるが、すさんでいるというほどの印象でもなかった。いまどきの北海道の田舎なら、この程度にわびしげな街並みはざらだ。

もう一度旧市役所前に戻り、駐車場に設置されていた町内案内図を見た。かつての炭鉱跡と炭住街跡は、駅の裏手に広がっていたらしい。

そのエリアに入って、やっと仙道は納得した。幹線道から一本裏手に入ると、そこはなるほど、町の残骸だった。家並み全体が朽ちかけ、崩壊寸前と思える。公営住宅に多い二階建てブロック造りの建物はまだましと見えた。その奥には長屋ふうの木造家屋が並んでいる。その向こうの斜面には、さらに多くの古い木造家屋が建っていた。最初仙道は廃屋かと思った。しかし、煙の出ている煙突がある。洗濯物を干している住宅もあった。札幌に住む仙道の目には、放棄された住宅、としか見えぬ建物に、ひとが住んでいるのだ。

古川幸男の公判を思い出した。あのとき古川は弁護士の質問に答えて、十二歳までこの町の町営住宅に住んでいた、と答えていた。四軒長屋で、六畳と四畳半のふた間だけの住宅。風呂はついていない。冬には隙間《すきま》風《かぜ》が吹き込む低コストの建物で、そこに古川たち親子三人が住んでいたのだ。母親の愛子と幸男、そして妹の美幸。父親はいなかった。幸男も美幸も、父親がわからず、認知もされていなかったのだ。

そのすさんだ住宅地を抜けると、炭鉱施設の廃墟があった。立坑のタワーと、選炭場らしき施設。親子連れが道を歩いていた。三、四歳ぐらいの男の子と、三十歳ほどの女性だ。母親だろう。母親は車のエンジン音に気づいて立ち止まり、道の脇によけた。子供は母親から離れたままだ。仙道は車を反対車線に入れて子供をよけた。母親と視線が合った。生気のない目をした女だった。生活の労苦が、顔にまざまざと現れていた。古川の母親も、このような表情の女性だったのだろうか。

古川の母親は、ろくに義務教育も受けなかったらしい。北海道北部の農村の生まれで、十五歳のころにこの町にやってきた。町の居酒屋で働いていたという。

炭鉱町では、相手をしてくれる男には不自由しなかった。若いうちは、けっこう男に言い寄られることもあったらしい。やがて二十歳を過ぎ、結婚しないままに幸男を生み、ついで美幸を生んだ。一時期、生活保護を受けていたが、なぜか打ち切られている。子供たちの小学校の給食費も滞納する生活だったという。古川は修学旅行にも参加していない。家には洗濯機はなく、古川は汚れ放題の服を着せられて、小学校に通った。

古川は最初、母親は貨車から落ちる石炭を拾って生計を立てていた、と証言した。幸男も七、八歳のころから母親のその石炭拾いを手伝ったという。年配の北海道の住人の感覚では、それはもっとも割の悪い、見返りの少ない労働である。それしか仕事がなかったということは、古川母子の貧しさは極限に近いものだったということになる。

しかし弁護士の質問への答から、母親は身体を売っていたことが明らかにされた。母親が商売をしているとき、幸男と美幸は長屋の外で遊ぶように言われた。夜でもそう命じられることがあったという。

幸男が十二歳のとき、母親は消えた。ふたりの子供を残したまま、失踪したのだ。男との出奔とも噂されたが、真相は不明のままだ。消息は知れない。死亡認定はなされていなかった。

幸男と美幸は、岩見沢市内の児童養護施設に入所することになった。二年後、もともと病弱だった妹は、肺炎をこじらせて死亡した。

仙道は車を進めながら、子供時代、古川が暮らしていたのはどのあたりか、それを確かめようとした。小さなドブ川のそばだった、炭住街に隣り合っていた、という証言を記憶している。しかし、現在のどのあたりかは見当がつかなかった。ドブ川自体、暗渠《あんきよ》となってしまったのかもしれない。

炭住街を抜けると、川があって、長さ五十メートルほどの鉄橋がかかっていた。この先に、北海道電力の火力発電所跡と、さらにダムがあるはずである。仙道は車でその川を渡った。

古川の証言でもっとも衝撃的だったのは、彼の十二歳の秋の体験だった。母親は、その秋の日、とつぜん子供たちを連れてダムの方向に向かった。古川は子供心に、母親の様子が何かふだんとはちがうと察した。ダムの上までやってきて、古川は得体の知れない恐怖に足がすくんだ。何か恐ろしいことが起こるとわかった。

母親は、妹の美幸を抱き上げると、ダムの通路の壁の上に乗せた。突き落とす、と古川は思った。古川は母親に体当たりしてしがみつき、必死で止めた。母親はわれにかえったように、それ以上のことをするのをやめた。古川の記憶ではそうだ。弁護士の質問に、古川はその秋の日のことをそう証言した。

しかし弁護士は、当時のその町の消防団の記録を用意していた。美幸はダム湖に落ち、それを目撃していた男性が湖に飛び込んで、美幸を救出したのだ。男性は消防団員だったので、この一件は消防団の活動として記録された。古川の記憶とはちがって、母親はじっさいに美幸をダム湖に突き落としていたのだ。

嘘だ、と古川が法廷で叫んだことを、仙道は覚えていた。母さんはそんなことしていない、と古川は激しい口調で否定したのだ。弁護団はこの件についてはそれ以上深入りをしなかった。

川沿いの道を進むと、すぐに右手の河原方向に、コンクリート造りの巨大な構造物が見えてきた。五十メートルはあるかと思える高さの煙突が立っている。これが火力発電所の廃墟なのだろう。重々しいコンクリート造りの建物で、廃墟ファンなら喜びそうだった。敷地全体は金網で囲まれている。

その発電所の奥にダムがあった。これも発電所同様に古い構造物と見える。どっしりと腰の据わった印象の、重力式のダムだった。

そのダムの脇の駐車場に車を停めて、仙道は降り立った。

ダムの上は通路となっており、川の向こう側に通じている。左手がダム湖だ。通路を歩くと、途中に網や銁、ロープなどがまとめられていた。ダムにひっかかる浮遊物でも取り除くためのものなのだろう。

通路の中央まできたところで、壁ごしにダムをのぞきこんだ。ダムの内側は垂直の壁になっており、五メートルほど下に水面があった。流木やゴミのたぐいがたまっている。

反対側に移って、下を見つめた。こちら側は地面まで三十メートル以上あるだろうか。急勾配の斜面となっており、下を見ただけで足がすくんだ。

ダムのすぐ下流右手の河原に、発電所跡がある。このダムの管理用道路と見えるものが、その発電所跡の脇を通っていた。

谷はこのダムの下からいきなり広がっており、ダムは谷の最狭隘部《さいきょうあいぶ》に建設されたのだとわかった。水量の少ない川が、谷間を南方向に流れている。

発電所跡を眺めていて、もうひとつ公判の中で知った事実を思い出した。古川と妹が母親に捨てられたときのことだ。母親が失踪したのは、古川が小学校を卒業した直後の三月末のことだった。まだ雪が深く残る時期である。弁護士の質問に対する古川の答では、母親はとくに何かを言い置くでもなく、行き先をほのめかすこともなく、その朝、ふいに家を出たきり帰ってこなかったのだという。

置き去りにされて三日目の朝、何も食べるものがなくひもじくなった古川たち兄妹は、この発電所の管理人だった老人を訪ねた。管理人は兄妹が小さいころから、ふたりを可愛がってくれていたという。

管理人は、発電所に付属する管理人室にふたりを入れて、食事を作ってくれた。金曜日の夜だったので、児童相談所とは連絡が取れなかった。古川たち兄妹は三日間その管理人室で過ごし、月曜の午後に、児童相談所からやってきた保護司に引き取られた。弁護団は、古川への質問で、これらの証言を引き出したのだった。

古川自身は、弁護団のその戦術を歓迎はしていなかったようだった。質問のひとつひとつに驚いていたし、答を言い淀んだ。ときに傍聴人が聞き取れないほどの小声になることもあった。

その日閉廷するとき、傍聴席を振り返った古川と仙道の視線が合った。古川は目を丸くした。まさか担当の刑事が公判を傍聴にきていたとは、予想していなかったのだろう。古川が仙道の傍聴をどのように受けとめたのかはわからない。不快であったか、単に意外であっただけか、それとも余計なことをといっそう怒りを募らせたか。

いずれにせよ、それから三カ月後、裁判長は古川に、傷害致死で懲役十二年という判決を言い渡した。弁護団の戦術が功を奏したのだ。十七歳のときに続いて二件目の殺人であったにもかかわらず、地裁は古川の成育歴に情状酌量の余地があると判断したのだ。凶器がビール瓶であったことも、計画性や殺意の有無の判断に影響した。十三年前、仙道が中央署の刑事一課に配属されていた時期のことだ。

仙道は駐車場に戻って、車を発進させた。

この町の様子はおおよそわかった。弁護団が主張したとおり、たしかに古川の成育歴には哀れむべき点はあった。この衰退しきった旧炭鉱町で、父親もいない家庭で育った男。母親は身体を売っていた。十二歳のときに、母親が妹を殺そうとした瞬間さえ目撃している。その半年後には、母親が失踪した。事件性は問題とならなかったようだから、要するに古川たち兄妹は母親に捨てられたのだ。

その古川は、十七歳のときに、当時働いていた旭川で年配の娼婦を殺した。少年院入り。出所後、こんどは札幌でやはり年配の娼婦を殺したのだ。八年のあいだに二件の殺人事件。

凶悪犯ではあったが、古川の取り調べにあたっているとき、仙道は反社会性人格障害の犯罪者に感じるような嫌悪感は、ふしぎに抱かなかった。その絶望と女性に対する憎悪には、哀れみに近い感情さえ抱いた。古川自身、罪から逃れようとはまったく思っていなかった。極刑を進んで受けたいとさえ口にしていた。

古川幸男。あいつの事件が十三年前。判決は懲役十二年。彼は、満期出所だとしても、すでに市民社会にいる……。

仙道は首を振った。そんなことを思い出していては、せっかくのこの一週間の湯治の効果がなくなってしまう。また神経症が再発し、職場復帰の日が遠のく。

「まずい」と仙道はステアリングを握ったままつぶやいた。「危ないぞ、これは」

再びかつての炭住街や町営住宅跡地を通り、市街地に戻った。ここから栗山町市街地に出て、岩見沢で道央自動車道に乗ろう。午後の五時には、部屋に帰り着いているはずである。

それまでに、この数時間思い出していたことが、また記憶の簞笥の奥のほうに仕舞い込まれてしまうとよいのだが。


山岸からまた電話があったのは、その日の午後九時をまわった時刻だった。仙道は自分の集合住宅に近い酒場にいた。輸入ビールの種類が多いので、このところ週に一回ぐらい来るようになっていた。

スツールから立ち上がり、待ってください、とだけ言って、店の外へ出た。

山岸が訊いた。

「どこかの店か？　ジャズが鳴ってたな」

仙道は答えた。

「近所ですよ。誘いはきょうですか？」

「いや。昨日電話で話したことを覚えてるか」

「船橋の事件？」

「おれの読みがずばりだったよ。おれの刑事の勘に拍手してもらいたくってな」

「というと？」古川幸男が？　まさか。「思い出したって言ってた件ですか」

「そうだ。おれたちが担当した件。古川幸男」

「ほんとに？　冗談言ってませんか？」

「冗談言ってるように聞こえるか？　千葉県警は、被疑者を特定した。遺留品から、古川幸男と断定。全国に指名手配だ」

「早かったんですね」

「ホテルの部屋には指紋やら何やら、遺留品だらけ。証拠を消す気もなかったようだ。どうだ、おれの勘？」

「大拍手ですよ」と仙道は山岸に合わせた。「やはり山岸さんの勘はすごい」

ほんとうは山岸は昨日、古川幸男の事件を思い出したと言っただけだ。古川幸男の犯行だと言い切ったわけではない。しかし害のない自惚《うぬぼ》れであるし、それは指摘せずにおこう。

山岸が言った。

「やつは、前の事件のとき、施設の元所長の家を訪ねていった。また同じことをやりそうな気がするな」

「世話になったひとのところを訪ねるってことですか？」

「ああ。やつにとっての親代わりの誰かのところだ。元所長がそうだった」

「同じひとのところに、また行くってことはないでしょうね。山岸さんが、元所長のとこに張り込むんですか？」

「まさか。そっちは千葉県警の仕事だ。だけど照会があれば、情報とこっちの読みぐらいは提供してやってもいいさ。来週、飲もうな」

電話を切ってから、仙道はシンクロニシティという言葉を思い出した。船橋の事件、山岸とのやりとり、きょう寄ってきたあの寂れた旧炭鉱町の情景、古川幸男の取り調べや公判の様子。これら一連のできごとは、偶然だったと考えるよりも、また山岸のように、自分の勘の冴えだと思うよりも、単にシンクロニシティという言葉で納得しておいたほうがよいだろう。人生にはときどき、こんなことがあるものなのだから。仙道にとっても、シンクロニシティという言葉を意識したのは、何もきょうが初めてというわけではないのだ。

携帯電話を切って、店の中に戻った。ビールのグラスはほとんど空だった。仙道はバーテンダーに、同じオレゴン産のビールをもう一杯注文した。

翌日の午後だ。仙道が豊平《とよひら》川河川敷でのジョギングを終えて集合住宅の部屋に入ったとき、携帯電話が震えた。

酒井という知人からだった。わりあい親しい地元新聞の記者だ。かつては北海道警察本部を担当していた。年齢は仙道よりもひとつふたつ上だろう。警察捜査をよくわかっている記者、という印象があったので、仙道が本部から異動になった後も、ときおり会って情報交換しているひとりだ。いま酒井は札幌にはおらず、函館の支局長を務めているはずである。

「ごぶさたです」と酒井は言った。「仙道さんの連絡先を知りたいっていう男から、支局に電話がありましてね。それで電話しました」

「どういうひと？」と仙道は訊いた。「どうしてあんたに？」

「札幌中央署にかけたら、いまはいないと言われたんだそうです。連絡先は教えてもらえなかった。それでも緊急に連絡をとりたくて、わたしの名前を思い出したとか」

「名前は？」

「タムカイ、と言ってました」

タムカイ。

仙道は、すっと背中に冷たいものが下りたのを感じた。昨日、自分はその名が関係する殺人事件のことを思い出したばかりではないか。いや、その犯人のことさえ話題にした。

酒井は続けた。

「わたしと仙道さんが親しいことを知っている、ということでしたよ」

「あんたはその男を知ってるの？」

「いや。タムカイっていう男は知らない。でも、むかしそういう苗字の、殺された女がいましたね」

「田向恭子か。担当した」

「わたしもあの事件では記事を書いた。それで、わたしが仙道さんと親しいと思ったのかな」

「その男は、あんたが函館にいるとわかって電話したのかい」

「いや。本社に問い合わせて聞いたってことでした」

「あんたの居場所を教えろと？」

「いえ」と酒井が言った。

きょうの午前中、本社の交換台に、平成六、七年ころの警察担当記者と話したいという電話があったのだという。声の印象では三十代の男だとのことだ。交換手が用件を聞くと、そのころの事件のことで担当者に情報を提供したいと言う。本人に連絡させると応えると、相手はとても急いでいると言い、田向と名乗って携帯電話の番号を残したという。

本社から酒井に連絡があり、酒井はすぐにその電話番号にかけた。すると相手は、ある事件のことで情報があると言ったうえで、仙道孝司という道警の捜査員の連絡先を知らないかと訊いてきたというのだ。刑事さんに先に話すべきことだと思うので、と。

酒井は言った。

「話したいという情報が、あの田向恭子事件の裏話かという気もするんですよ。珍しい苗字だし、被害者の身内の誰かかなと。それで仙道さんから連絡させると言っておいたんですがね。迷惑だったかな」

「番号を教えてくれ」

酒井が言う番号をメモすると、彼が訊いた。

「あの田向恭子殺害事件、何か裏めいた話がありそうなんですか？」

「いや、知らない」

「面白い話が出てきたら、教えてください」

「ああ」

その電話を切ったとたんに、また電話があった。こんどは山岸だ。

「おい」と、山岸の声は明らかに緊張している。「中央署の交換に、妙な電話が入ったそうだ。お前さんと連絡を取りたいって男から」

古川幸男からの電話の件か。仙道はとぼけて訊いた。

「誰からです？」

「タムカイと名乗ったそうだ。ふつうなら無視する電話だけど、庶務に勘のいいベテラン警官がいた。通話内容の記録を見て、もしやあの事件のと、おれに教えてくれた」

「あの事件の被害者の身内ってことですね」

「いや」と、山岸は言った。「ちがうね。これは古川幸男だ」

「どうしてそう思うんです？」

「古川は本名は名乗れない。だけど、わかる人間には気づいて欲しい。古川なら、お前の連絡先を聞き出そうとするとき、田向の名前を持ち出しておかしくない」

「そうでしょうか」

「そういうつながりしか想像できない。自分の電話番号を残さなかったというから、こいつは偽名なんだ。こんな偽名をわざわざ使うやつはひとりしかいないだろう？」

「深読みし過ぎ、かもしれませんよ」

その言葉は山岸には聞こえなかったようだ。彼は続けた。

「ただ、わからないのは、どうしてお前を探しているかだ。お前は、あのとき供述調書を取れそうもないと、音を上げたよな。けっきょくおれが作った。なのに、どうしてお前なんだろう？」

「さあ。そいつがほんとに古川幸男かどうかもわからないんですから」

「交換は、ミスした。お前さんの連絡先を教えなかったんだ。やつはお前さんまでたどりつけるかな。接触してきたら、チャンスだけど」

「相手は、携帯からですか？」

「そうだ。この場合、令状を取るのは難しいだろう。だけどやつは確実に、北海道に戻ってくるな」

「そう決めつけてしまって、いいんですか」

「いいさ。やつはとにかく、手を尽くしてお前と接触しようとしてくるだろう。そのときは、わかってるな。休職は理由にならんぞ」

「わかってます」

「おれとお前とで、千葉県警を出し抜くってのは痛快だぞ。楽しみだな」

電話を切ってから、仙道は深呼吸した。古川幸男に電話するのは、もう少し気持を落ち着かせてからだ。

「はい」と、用心深い口調で相手は言った。

山岸からの電話が切れて五分後、仙道は酒井から教えられた携帯電話の番号に電話をかけたのだ。

その声の調子だけでは、相手が誰か判断できなかった。いや、そもそも自分は、古川幸男の声を覚えていない。

仙道は言った。

「道警の仙道だ。酒井って新聞記者から、あんたがわたしと話したいと言ってると聞いた。田向さんか？」

「田向さんの関係者です。十三年ぐらい前、札幌中央署の刑事一課にいた仙道さんですね？」

「そうだ」

「じつは、おれ、田向恭子さん事件の古川幸男です」

予測できた言葉だった。それでも、胸の奥に小さな衝撃があった。どんと胸の奥から何かが突き上げたような。

　仙道は慎重に言った。

「古川幸男？　というと、もう出所したってことか」

　指名手配の件には触れなかった。たぶんこのタイミングでは、まだ彼も千葉の一件で被疑者として手配されたことは知らないだろう。

「そうなんです」と古川は言った。物静かな、かすれた声。仙道の反応を確かめているような調子にも聞こえた。「その節はお世話になりました」

「おれに用事って何だ？」

「いえ、おれのことを覚えているかなって」

「覚えているさ。取り調べ、担当したんだ」

「おれの出身地、行ったこともないくせにって、失礼なことを言ってしまいましたね」

「あの程度のことは、失礼にもならない」

「担当、代わってしまったじゃないですか」

「おれが調書取れるようには思えなかったからな」

「だけど、裁判は聴きにきてくれていたんですね」

　自分が傍聴したのは、一回だけだ。口頭弁論の日。しかし古川は、仙道が何度も傍聴に行ったと勘違いしているのか？

「気になったからな」

「まだ気にしてくれてます？　ずいぶん古い話ですけど」

「もちろんだ。あんな事件、忘れられるものじゃない。何か言いたいことでもあるのか？」

「刑事さんのほうで、訊きたいことがあるんじゃないかと思って」

「検事にも、公判でも、洗いざらい話したんじゃないのか？」

「訊かれたことに答えただけですよ」

「せっかく出所したんだ。四方山《よもやま》話するのもいいな。いまどこにいるんだ？　札幌にくるようなことがあったら、この携帯に電話してくれ。おれはいま、休職中なんだ。会うのはかまわん」

「休職中ってことは、昼間でもオーケーってことですか」

「時間はどうにでもなる」仙道は思いついてつけ加えた。「お前の生まれ故郷、いまは知ってるぞ。行ったこともある」

「そうですか」古川の声は少しなごんだように聞こえた。「どうなってました？」

「むかしのことは知らんけど、たしかに寂れたところだな。正直なところ、もの悲しくなった」

「おれがいたころ、もうすでに終わってましたね」

「とにかく、札幌にきたら電話しろ」

「じつは」

「ん？」

「いま北海道に帰ってきてるんです。札幌以外でもかまいませんか？」

「近いところならな」

「休職中なら、明日、半日時間をもらうことはできますか」

「半日か。かまわんけど」

「さしで会えますね?」

「そのほうがいいって言うなら」

「明日、朝に電話します」

「ああ」

　電話を切ってから、仙道はそばにあったタオルでてのひらの汗をぬぐった。古川は、自分が指名手配されていることに気づいていない。それを知らぬままに、接触してきたのだ。警察官としてやらねばならないことははっきりしている。

　しかし、いまの電話のやりとりで、仙道はあえて警察官という自分の立場には触れなかった。ただの人間として、ひとりの男として、会話したのだ。言葉はむしろ重い。このあとも古川には、不誠実に応対するわけにはゆかなかった。

　山岸には連絡しない、と仙道は決めた。すべては明日、古川と会ったあとのことだ。


　その日の午後六時過ぎに、携帯電話が鳴った。仙道がちょうど、夕食の支度をしていたときだ。仙道はプロパンガスの火を止めてから、携帯電話を取り上げた。山岸からだった。

　山岸は、いきなり訊いてきた。

「田向って男から連絡なかったか?」

仙道は答えた。

「いいえ」

先方から電話はなかった。自分からかけたのだ。その相手の名は、古川幸男だ。田向という男ではない。この返答は、嘘ではない。

「そうだろうな」と山岸は言った。「お前の電話番号、調べる手だてもないだろうし」

仙道は確認した。

「船橋の事件、指名手配は公開なんですか？」

「ちがう。報道されてないだろ」

ということは、やはりまだ古川は、自分が手配されていることを知らないのだ。警察は被疑者の特定ができていない、と判断している。もちろん十分に慎重に動いてはいるはずだが。

「その後の進展は？」

「さあ。千葉県警は、市川から千葉市にかけて、かなりの態勢で捜索してるようだ」

「あっさりゲームオーバーになる可能性もありますかね」

「まあな。少なくとも、犯行後の足どりは不明なんだ。船橋潜伏中って可能性も大だ」山岸は口調を変えた。「明日あたり、時間あるか」

明日は、終わりの予測がつかなかった。古川とどこで会うことになるにせよだ。一日空けておいたほうがいいだろう。

「いや、明日はちょっと」

「そうか。じゃあ、週明けにするか」

「そうですね」

電話を切ってから仙道は、明日は都合が悪いという自分の答えかたが、いくぶんぎこちなかったのではないかと心配した。とくに深い意味はないように聞こえたろうか。


古川からの電話は、午前十時にかかってきた。仙道はもういつでも出てゆける態勢だった。マグカップのコーヒーもすでに空だ。

古川が訊いた。

「いまから車で出られますか?」

「ああ。大丈夫だ」

「道央自動車道に乗ってください。旭川方向。三十分後にまた電話します」

「落ち合う場所を教えろよ」

「まだ決めてないんです」

それ以上仙道には言わせずに電話は切れた。仙道はかけ直さなかった。とにかく彼の言うとおりにするしかないようだ。

仙道は駐車場に降りて自分の四輪駆動車に乗り、燃料計を確かめた。まだ半分以上入っている。二百キロぐらいなら、ノンストップで行けるだろう。

道央自動車道を走っている最中、古川から電話があった。

「岩見沢インター、まだですよね？」

「あと少し。五分ぐらいだろう」

「岩見沢インターで降りてください」

古川は、自分の故郷の町の名を出した。

「そこを目指してくれませんか」

すでに土地勘はある。仙道は了解した。

次の電話は、その町の市街地に入る少し前にあった。

「北電の火力発電所跡があるんです。そこにきてください」

「わかった」

やつは、発電所跡がまだあるかどうか確かめなかった。ということは、もうそこに着いているのだ。

市街地に入り、駅裏に広がる町営住宅地、旧炭住跡を抜けた。さらに川にかかる橋を渡り、発電所跡に向かった。正面のゲートの前まで進んでみると、軽自動車が停まっていた。習志野ナンバーだ。古川が千葉から乗ってきたのだろうか。盗難車かもしれない。

その軽自動車に並べて自分の四輪駆動車を停めた。車から降り立ったところで、また電話が鳴った。

「入ってきてください。中にいます」

ゲートには隙間ができている。仙道はその隙間から無理に身体を入れて、発電所の敷地内に入った。

建物の横手のドアが開いている。通用口のようだ。仙道はそのドアに向かって歩いた。

建物の中は、学校の体育館ほどの空間で、中央にボイラーと思われる巨大な鉄製の設備が鎮座していた。多くのパイプがその設備にまとわりついている。石炭を使う発電機なのだろう。

足元には割れたガラスや、剥落した壁材が散らばっており、空気は埃《ほこり》っぽかった。かすかに鉄《てつ》錆《さび》の匂いもする。天井近くの明かり取りの窓から、細く光が差し込んで、赤茶けたボイラーをぼんやり浮かび上がらせている。照明はついていなかったけれど、すぐに目は慣れた。

「どこだ、古川」と仙道は大声を出した。

「こっちです」と背後で声がした。

振り返ると壁際にスチール製の階段があって、その踊り場に古川が腰掛けていた。高い位置の窓から差し込む光だけでも、彼の風貌、風体は明瞭に見て取ることができた。短めの髪で、黒っぽいジャケット姿だ。オリーブ色のワークパンツを穿いている。顔には、取り調べのときの面影が少し残っていた。感情の読み取りにくい眠たげな目と、皮肉っぽい口元。全体に皺《しわ》の深い顔だ。身体には少し肉がついたかもしれない。

仙道は古川のほうに少し近づいて言った。

「なんでまた、こんなところに呼び出したんだ？」

古川は仙道をまっすぐに見つめて言った。

「おれ、またやっちゃったんですよ」

自分からそう告白した以上は、仙道もとぼけているわけにはゆかなかった。

「船橋の一件だな」

「わかりますか？」

「そうでなければいいと願っていた」

「おれ、たぶん指名手配されているんですよね」

「確信があるような口ぶりだな」

「べつに証拠隠滅するつもりもなかったですから」

「だけど、自首せずに、北海道まで逃げてきた」

「ここにきたかったんです。この町に」

「どうして？」

古川は仙道を見下ろしてきた。

「どっちみち終わりだから」

「どういう意味だ？」

「おれ、思うんですよ。自分の人生はもっとずっと前に終わっているべきだったたって。十三年前でも遅すぎる。十七のときでもないってね。おれは、もっと早く消えるべきでした」

「せっかく弁護団が、傷害致死にしてくれたのに」

古川は鼻で笑った。

「おれが希望したことじゃないです。裁判では、あんなに恥ずかしい生い立ちまで明かされて、それで死ねたらともかく、それでもまだ生きてゆけなんて」

「やり直す機会がもらえたんだから」

「死ぬつもりだったのに。死刑を覚悟していたのに。仙道さんも、ほんとはおれを死刑にしたいと思ったでしょう？　そう望んでいたんでしょう？　裁判を聴きにきたのは、そう思ったからでしょう？」

そのとき、ふいに建物の外から音が響いてきた。

「古川幸男。警察だ。出てきなさい」

電気で増幅された音。拡声器を使っているのだろう。山岸の声のようだ。

古川は電気ショックでも受けたように立ち上がった。仙道自身も驚いた。どういうことだ？

古川が、大きく目を見開いて仙道を見つめてきた。

「ひとりでって、言ったじゃないか」

仙道は狼狽《ろうばい》して言った。

「知らない。誰にも言っていない。嘘じゃない」

「誰も彼も。くそ」

「嘘じゃない」と、仙道は必死で言った。「ひとりで会いにきたんだ。誤解だ」

外からまた拡声器を通した声が聞こえた。

「古川幸男。船橋のラブホテル殺人事件できみには逮捕状が出ている。出てきなさい。おとなしく出てきなさい」

古川は憎悪のこもった目で仙道を見つめると、ペッと唾を吐いた。仙道は一瞬だけ顔をそむけた。次の瞬間、古川は階段を上り出した。

仙道には、彼が次に何をしようとしているか想像がついた。自分も階段を駆け上った。

「待て。古川、待て」

古川は、発電所の内壁にめぐらされた作業通路を駆けた。グレーチング材のキャットウォークだ。仙道はその通路が崩れることを心配した。廃墟になって数十年。グレーチング材も支えの鉄骨も、もうかなり傷んでいるはずだ。古川はたちまち通路を駆け抜け、奥の小さなドアの向こうに消えた。

仙道がそのドアの中に飛び込むと、そこは階段室だった。古川の足音が下の方向から聞こえた。仙道も階段を駆け降りた。

古川は、発電所を飛び出してダムの方向へと向かった。仙道は駆けながら振り返った。建物の横に、数台のセダンが停まっているのがわかった。

山岸は、別ルートの情報で古川の居場所を探り当てたのだろうか。それとも、この自分との接触を予測して、尾行してきたのか。山岸のことだ。昨夜、明日はちょっと、と答えたときに、この事態を察知したのかもしれない。GPS発信装置でも、車につけられていたか。あるいは古川の乗る軽自動車が手配されていたのか。

古川は敷地裏手の金網を素早く駆け上がり、外に飛び下りた。その先に、ダムに通じる道がある。道の先にはまた急坂があって、ダムの上部につながっているようだ。

背後で、何人もの人間の靴音が聞こえた。包囲はできていなかったのだ。

仙道もなんとか金網をよじ登り、発電所の敷地の外に出た。すでに古川はダムの上部に通じる坂道を駆け上っている。

「待て」と、仙道は呼びかけた。「早まるな。古川、早まるな」

ダムの最上部にたどりついたとき、仙道の心臓は張り裂けそうだった。いったん足を止め、両膝に手をついて、呼吸を整えねばならなかった。古川は通路の中央あたりに立って、こちらに身体を向けている。もうそれ以上逃げる意志もないようだ。

荒く息をしながら、仙道は通路を歩いた。古川は動かない。ロープを手にしていた。

仙道は、古川から十歩ほどの位置まで進んだ。古川が仙道を見つめてくる。その目に表れているものは、いましがた仙道が想像したことを裏付けるものだった。

後方でひとの気配がする。振り返ると、山岸たちが坂道を上って、このダム最上部の通路に達したところだった。

仙道は山岸に言った。

「近づかないで。説得します」

山岸が足を止め、うなずいた。彼のうしろにいた三人の捜査員たちも、その場に立ち止まった。

仙道は古川に向き直った。古川の顔からは、感情が消えていた。憎悪も怒りもない。ただ、深い諦念のようなものを、かろうじて見て取れるだけだった。

「早まるな、古川。言いたいことは、裁判で全部言えばいい。早まるな」

古川は、首を振った。

「教えてやるよ、仙道さん。おふくろが妹を投げ落としたときのこと」

「なんだ？　どうした？」

「あのときまで思い出さなかった。おれはあの日ここで起こったことを、あの公判のときまで思い出さなかった」

「何があった？　大事なことがあったんだろう？　それを全部話せ。裁判で話せ」

「おれがおふくろに体当たりしたのは、おふくろが妹を投げ落としたあとさ。止めることはできなかった。代わりにおれはおふくろをこのダムから突き落とそうとしたんだ。おれは、あのときおふくろを殺して、自分も死んでいるべきだったんだよ。そうしたかったんだ。裁判を聴いてくれた刑事さんには、そのことを話しておきたかった」

「全部聞く。だから、早まるな」

「おれは十二のあのときに、ひとりだけ殺して、自分も死ぬべきだった。刑事さんも、そのほうがよかったと思ってくれるだろう？」

「いや」仙道は首を振った。「思わない。早まるな、古川」

古川はロープを持った手を上げた。ロープの先はループになっている。古川はループを自分の首にかけた。

仙道はロープの反対側に目をやった。ロープは、コンクリートの壁面から出た鉄の輪に通され、結ばれていた。

仙道は古川に向かってもう三歩近づいた。

「待て。待つんだ！」

古川は右手、ダムの下流側の壁に近寄ると、さっと身を翻《ひるがえ》した。

仙道は素早く突進して手を伸ばした。脚に一瞬手が触れたかもしれない。しかし、引き止めることはできなかった。古川の身体が消えた。ロープがぴんと張り切って、ついでごつんという鈍い音がダムの下のほうから聞こえてきた。

仙道は壁から身を乗り出して、下を眺めた。ダムの急角度の壁面で、ひとが揺れていた。壁面をこするように。

ふいに仙道の身体が押さえられた。仙道は思わずびくりと身体を引いた。

山岸だった。両手で仙道の肩をつかんでいる。

「落ち着け。落ち着け」

そう言う山岸も度を失っていた。

私服の捜査員たちが動揺を見せて、それぞれの無線機に報告している。

「指名手配犯」「ダム」「投身」といった言葉が断片的に聞こえた。

仙道はまばたきし、衝撃に耐えながら思った。

これでおれの職場復帰はまたたぶん、遠のいたのだろう。

兄の想い

想像していたほど、サカナの匂いは強くなかった。そこが漁港であると意識していなければ、潮の香以上のものは感じ取れなかったかもしれない。

若い漁師が、年配の漁師を殺したと聞いて、かなり荒々しい雰囲気の漁港を想像していたが、見たところ町も港の周辺ものどかだ。切った張ったの騒ぎが起こりがちな、殺伐とした町のようではなかった。もちろん表面だけから受ける印象であるが。

仙道孝司《せんどうたかし》は、岸壁の端に立って、いま一度漁港全体を眺め渡した。ここは、沿岸漁業のための第二種漁港だ。広い駐車場の向こう側に、漁協の二階建ての建物と、冷蔵庫や製氷倉庫がある。仙道の目の前には魚揚岸壁。二十隻以上の小型漁船がもやっている。左手、防波堤の突端ではクレーンが動いていた。

視界の隅に黒いセダンが映った。セダンは漁港の外から、かなりの速度で岸壁に入ってくるところだ。仙道は身体の向きを変えた。セダンはまっすぐ仙道のほうに向かっているようだ。そのまま港の海面に突っ込もうかという勢いだった。

仙道はそのセダンに視線を向けたまま、一歩岸壁の端から退いた。

セダンは国産の高級車だ。中小企業の経営者たちが好むという乗用車。また、ある種の男たちは、ドイツ製のセダンを買えぬ場合の次善の策としてこの車に乗る。つまりそのセダンは、カネと権力の象徴ということになっている。

そのセダンは、仙道の背後をふさぐように急停車した。すぐに三人の男が降りてきた。風体から、堅気ではないとわかった。

運転席から降りたのは、丸刈りの若い男だった。助手席からは、三十代の、パンチ頭で眉を剃った男。後部席から降りたのは、角刈りの五十男だ。五十男は、ブランドもののジャージーの上下を着ていた。

三人の男たちは、仙道を取り囲んだ。

眉を剃った男が、仙道に冷笑を見せながら訊《き》いた。

「お父さんは、新聞社かどこかのひとかい？」

なれなれしげな言い方だが、声音はさほど屈託ないものではなかった。

仙道は相手の視線を受け止めて言った。

「いいや。どうしてだ？」

「いや、この町のことを根掘り葉掘り訊いていたっていうから。マスコミのひとかと思ったのさ」

仙道は納得した。この男たちに、通報がいったのだ。たしかに自分は、ホテルにチェックインしたとき、さらにその後、ホテルの隣の喫茶店に入ったとき、それぞれでその事件のことを話題にした。ホテルのカウンターの男と、喫茶店の主人らしい女に。この町でつい最近起こった殺人事件のこと、逮捕された男の評判、町のひとはこの事件をどう話題にしているかなどを訊ねたのだ。

そのときの相手のどちらかが、この連中にご注進に及んだというわけだ。正体不明の男が事件のことを聞きまわっていると。

仙道は訊き返した。

「それがどうした？」

相手の眉が上がった。自分が想像していたような反応ではなかったのだろう。

男は言った。

「お父さん、町のひとは、そういうことって、あんまり感じよく思わないんじゃないか」

「訊いたのがまずいと？」

「まずいとは言わんけどね。どうしてそんなことを訊くの？　あんた、どういうひとなんだ？」

「あんたたちは？」

男の目が吊り上がった。

「おう、ためぐちかい」

横のジャージー姿の男の表情が、少しだけ変わった。仙道がなぜ男たちにおびえていないのか、その理由に気づいたようだ。

ジャージー姿の男はあわてたように割って入った。

「いやいや、べつに。べつになんでも」

眉を剃った男が、怪訝《けげん》そうにジャージーの男に顔を向けた。ジャージーの男は、その男の肩を軽く二度叩いた。

眉を剃った男は、まばたきした。彼もやっと思い至ったようだ。

仙道はもう一度訊いた。

「あんたたちは？」

ジャージーの男が、口元だけで笑顔を作って言った。

「いや、気にしないでください。こいつが何か誤解した」

ジャージーの男は眉を剃った男を小突いて、顎でセダンを示した。ふたりがセダンに乗り込むと、若い運転手も運転席に身体を入れた。

運転手と一瞬視線が合った。仙道は、その若い男の風貌から、ある傾向の犯罪者を連想した。特に統計的な根拠があるわけではないが、こいつはあの手のことをやりがちと思える顔。

その若い男は視線をそらすと、セダンを急リバースさせた。セダンはたちまち岸壁から遠ざかっていった。

漁港の出入り口で、セダンはべつの車とすれちがった。新しく漁港に入ってきたのは、古い四輪駆動車だ。徐行気味に岸壁方向に走ってきた。

仙道がその場に立ったままでいると、四輪駆動車はいましがたセダンが停まっていた位置で停車した。運転席にいるのは、山野敏也だった。仙道をきょうこの町に呼んだ男だ。いましがた彼は携帯電話で、この漁港まで迎えにゆくと伝えてきていた。

山野はいぶかしげな顔で運転席から降りてきた。

「何かありました？」言いながら、山野は漁港の出入り口のほうに視線を走らせた。「あいつらと何か？」

仙道は微笑して言った。

「おれが何者かと訊いてていったよ。誰なんだ？」

山野は驚いた顔になった。

「角安組の連中ですよ。仙道さんに向かって、何者か、ですって？」

「訊いただけで、答も聞かないまま行ってしまった」

「道警の刑事だって言ったら、面白かったろうに」

「どうかな。親分格の男はわかっていたみたいだった」

山野は、仙道の記憶よりも恰幅がよくなっていた。作業ズボンの腹まわりがきつそうだ。仙道はかつて山野を、ある刑事事件の参考人として呼んだことがあった。山野は自分にかけられている容疑が何であるか気づくと、仙道たちが把握していなかった事情を教えてくれた。捜査方針を根底から覆す情報だった。あやうく仙道たちは、何人もの無実の男たちを誤認逮捕するところだった。仙道には山野に借りができたという思いがある。

山野はいま三十をいくつか超えたあたり。ひとなつこそうな目の印象は以前と変わっていない。生まれ故郷のこの町に戻ってきて、水産廃棄物の処理場を経営しているという。こんどの事件については、逮捕された加害者とは義理の兄弟のような関係とのことだった。

山野が言った。

「いまのはこの町の博徒なんですよ。あの親分は、角安組四代目の遠藤昇一」

「博徒が堂々と看板を上げている町なのか」

「漁師町ですからね。むかしは博打も盛んだったんです。賭場を仕切っていたのが連中。いまは、賭場はやってないと思いますが」

「それにしても、何を神経質になっているんだ？　やつら」

「町じゅう大騒ぎですから」山野は首を振りながら言った。「殺されたのが、町いちばんの有力な漁師。殺したのが、町いちばんの人望ある若い衆。もうてんやわんやですよ」

「町を案内してもらえるか」

「乗ってください」と、山野は自分の古い四輪駆動車を示した。「レンタカーはここに置いておきましょう」

仙道はうなずいて、山野の四輪駆動車に向かった。


昨日、山野が仙道に電話してきて言ったのだ。

「身内の、弟みたいなやつのことだし、殺人事件ってことがいまだに信じられないんですよ。目撃者もいるし、現行犯逮捕です。無実ってことはないだろうけど、何か助けになってもらえないでしょうか」

仙道は、数秒考えてから、承諾した。山野のひととなりはよく承知している。ひとの本質を見抜く彼の直感力についても。こんども、それを疑う理由はなかった。北海道警察本部の警察官としての小さな借りもあるのだ。返すならば、こういう機会だ。できるかどうかは別としても。

「期待しないでくれ」と仙道は返事した。「できることがあるかどうかもわからない。行くだけは行ってみるから」

そうしてきょう二時間前に、女満別《めまんべつ》空港に降り立ったのだった。そこからこの町まで、レンタカーでやってきた。

人口八千人の、オホーツク海に面した町だ。主産業は漁業で、とくに鮭の定置網漁とホタテ養殖が盛んだという。

仙道は北海道警察本部の警察官として、この町で勤務した経験はなかった。ただし、旅行の途中に一度立ち寄ったことはある。知床観光や網走方面を観光する際には、旅行者のたいがいがこの町を通過するのだ。

車を町のメイン・ストリートに走らせながら、山野が説明した。

「この本通り沿いに、銀行とか、商店が並んでます。道の端のほうには、水産加工場がいくつも。役場とか警察署は、少し陸側です」

通りには、高層ビルはおろか、三階建て四階建ての建物もろくに見当たらなかった。海に面しているせいもあってか、空がやたらに広く見える。前方を、ウミネコがすっと横切っていった。

仙道は訊いた。

「事件のあった店は？」

「この本通り沿いです。その近所に料理屋や飲み屋、旅館が固まってます。仙道さんの泊まっているのは、どこでした？」

「みなとやホテル」と仙道は答えた。ホテルと名はついているが、二階建ての、商人宿のような雰囲気の旅館だった。

「そこは、むかし賭場が開かれていた旅館です。だから、いまでも角安組とはつきあいがあるんでしょう。事件の現場は、みなとやから一町ほど離れたところです」

やがて、ここが町の中心、と思える一角で、警察署の表示が現れた。メイン・ストリートと交差する道の先にあるらしい。

山野が車を右折させてその通りに入った。前方左手に、二階建ての直方体の建物が見えてきた。町の中でも大きい部類の建築物だ。あれがこの町の警察署だろう。

しかし北海道警察の基準では、C分類と呼ばれる小規模警察署だったはずだ。刑事・生活安全課の捜査員たちは、強行犯も窃盗犯も賭博犯も扱う。逆に言えばこの町は、この規模の警察署でも間に合う程度の事件しか起こらない土地ということになる。犯罪発生率も、平均値以上のものではないはずだ。博徒系の指定暴力団がひとつ、事務所をかまえているにせよだ。

その警察署の外壁は、ブラウンの化粧タイル貼りだ。比較的新しい建物と見える。外壁に大きく、警察官採用の垂れ幕が下がっていた。しかし、こんどの事件に関わる捜査本部の表示は出ていない。山野からの電話でも聞いたが、この町の警察署はこの事件を、方面本部の応援を求めるべき難事件とはみなしていないのだ。方面本部も同様の判断ということだろう。

町立病院の前でUターンし、町のメイン・ストリートに戻った。漁港に通じる道を通りすぎると、左右には倉庫か水産加工場と見える建物が目立つようになった。

仙道は言った。

「捜査本部が置かれていない。取り調べは、進んでいるんじゃないかな」

山野が言った。

「それって、あっさり義弟《おとうと》が犯人ってことで処理されてしまうってことですか」

「本人が否定していても、証拠が揃っていれば、殺人で立件、起訴ってことになる。争う余地はあまりないぞ」

「ほんとうに恐縮してます」と、山野が運転しながら頭を下げた。「無駄足になるかもしれないのに、来てもらって」

「それは、いいんだ」仙道は言った。「どうせ暇なんだ」

仙道への自宅療養の指示はまだ撤回されていない。もう一年半以上も、事実上の休職生活が続いているのだ。道警本部の捜査一課に籍だけはあるが、仕事はない。四週間に一度、指定医の診察を受けることだけが義務だった。暇だという言葉に、誇張はなかった。山野の口ぶりでは、仙道のその休職の事情についても、多少承知しているようだった。

山野が言った。

「でもね。あいつが人殺しだなんて、ほんとに信じられんのです。やったことに対しては責任を取るしかないでしょうけど、あいつにも何か事情があったはずだ。罪が少し軽くなるような事情がね。それを、仙道さんに調べ上げてもらえたらって思ったんですわ」

「取り調べの様子は伝わっているか」

「いいえ。ただ、新聞を読む限りじゃ、殺人を素直に認めたようではないみたいです。殺意を否認している、だったかな。そんな記事が出ていました」

「現行犯逮捕だったんだろう？」

「ええ。店にいた客が何人も、その様子を目撃していたようです」

「致命傷は、刃物傷じゃなかったか」

「そうです。ナイフだか、包丁だか」

「それでも、殺意があったとは認めていないのか」

「あいつは」と山野が口惜しそうに言った。「とにかく一本気だ。何かに怒っても、使うのは拳骨ってタイプの男だ。ひとを殺そうなんて思わない。ましてや、素手の相手に刃物を持ち出すなんて、考えられない」

「信用してるんだな」

「そうですよ。この町の若い衆の中じゃ、いちばん人望ある男なんです。元町の神社の祭りでは、今年から若頭だ。これって、どういう意味かわかりますか？」

「人気があるってことのほかに？」

「この町じゃ、ＪＣの会長、漁協の青年部長以上の若手リーダーと見なされてるってことですよ。

若頭は、選挙や輪番で選ばれるんじゃありませんからね」

「どんなに人望のある男でも、過ちを犯すことはあるさ。勢い余って、ということもある。おれにあまり期待するなよ」

山野は、後部席を左手で示して言った。

「地元の新聞記事、まとめたものを用意しておきました。車、そこの駐車場に停めます」

山野は、メイン・ストリートから右折して、四輪駆動車を海岸沿いの駐車場に入れた。そこは港と市街地を眺める小公園となっていた。

仙道は、後部席に手を伸ばして、書類封筒を取り上げた。

事件が起こったのは、五日前だ。町の料理屋の駐車場で、漁協幹部の竹内勝治という漁師に、若い漁師の石丸幸一が殴りかかった。竹内も抵抗し、ふたりは揉《も》み合い、殴り合いとなった。その場に居合わせた町民たちが必死で石丸を制止しようとしたが、石丸は聞かなかった。殴り合いが始まってほんのわずかの時間の後、石丸が竹内を刃物で刺した。石丸は竹内の知人らに取り押さえられた。数分後に警察が駆けつけ、石丸を傷害の現行犯で逮捕した。

竹内は救急車で網走市立病院へ運ばれたが、その夜のうちに出血多量で死亡した。石丸の容疑は、傷害から殺人に切り換わった。逮捕から四十八時間後に石丸は手続き上地検送りとなったが、じっさいはまだこの町の警察署の留置場にいる。勾留が認められ、警察による取り調べが続いているのだ。

新聞記事には、事件の背景について書かれたものがあった。これによれば、被害者・竹内勝治は、去年まで加害者である石丸幸一を含めた十人の組合員と「共同体」を組み、一隻の小型漁船で鮭の定置網に従事していた。その共同体の代表が竹内だ。古い言い方を使えば、親方格ということになる。

今年から石丸が竹内の共同体を離れた。べつの共同体に移籍したのだ。竹内の共同体から最年少の漁師がひとり、石丸に従った。この過程で、竹内と石丸は激しく対立したという。竹内は移籍しようとする石丸を快くは思わず、さまざまな形で妨害した。石丸のほうは移籍を妨害されたことで、竹内を激しく恨んでいたらしいとのことだった。

逮捕後、接見した弁護士の会見も記事になっていた。弁護士は言っていた。容疑者は、殺意を否認している。凶器も持ってはいなかった。なぜ自分の手にあの刃物があったのか、わからないと言っているという。

仙道は新聞記事を読み終えて、顔を上げた。

真正面に広がるのは、オホーツク海だ。夏の日差しが、珍しくこの北洋を青く輝かせていた。

仙道は運転席の山野に訊いた。

「この共同体ってのは、どういうものだ？」

山野が答えた。

「統《とう》、とも言うんですがね。建網ひとつのこと。言ってみれば、組、ですよ。親方のもとで、漁師たちが働く。いまは、漁師はみな組合員ですから、同じ出資者同士として、建前としては平等。

でも、昔からのしきたりで、組うちの稼ぎの取り分は決まっている。親方格の人間がいちばん多く取るし、その割合はずっと変わることもないんです。だから、ときおり分配をめぐってトラブルが起こることもあります」

「移籍ってのは、簡単にできるものなのか？」

「いいや。滅多にあることじゃありません。そういうことって、古い漁師連中には面白くないんです。掟破りと見えるんでしょう。こんどの幸一の場合は、後継者が足りなくて存続の危うくなっていた小さな統に移ったんです。去年まで五人でやっていた一統です。取り分を多くするからと、そっちの親方に引っ張られたんでしょう」

「その親方の名前は？」

「町田。六十代の、さばけた親爺です」

「町田も恨みを買っていたかな」

「おそらく。だけど、町田のもとでなら、幸一も働きやすいと思ったんでしょう。幸一なら、町田の一統でいずれ、町田の後継者になったかもしれない。船も大きくして、もっと水揚げを増やすこともできたでしょうね」

「妨害ってのは、具体的にどういうことをしたんだ？」

「引き抜きは御法度《ごはっと》だって、町田の爺さんには圧力をかけたでしょう。だけど統のメンバーが足りなくなるとなれば、どこだって必死になる。町田は突っぱねますよ。竹内は関連会社にも、町田の統と取り引きするなと声をかけたかもしれない。だけど、いまはそういう時代じゃないですよ。前にも同じような移籍の動きがあったときは、周りが大反対して押さえ込みにかかった。けっきょくそいつは漁師も辞めてしまったけど」

「引き抜きは許さないってことか。たしかに、組、だな」

「引き抜かれた側の身からすれば、優秀な漁師が抜けたら水揚げは落ちます。石丸は、もうひとりの若い衆と移ろうとした。辞められた側には痛手です」

「それこそ、取り分を増やしてやる、と引き止める手はあったろうに」

「そういう競争は許さない、ってのが、この世界なんですよ。新規参入もできない。いや、この漁港だけのことかもしれないけど」

「ということは、石丸の移籍を妨害したのは、竹内だけじゃなかったのかな」

「じっさいにやったのは、竹内だけでしょう。ええ。取り分だって、世襲で決まるのはおかしいって風潮になってきてますからね。古い漁師たちには、それも面白くなかったとは思います。ただし、この件はふた月も前に解決してるんですよ」

「解決した？」

「ええ。竹内はあの角安組まで使って嫌がらせをやったけど、けっきょく地元の加工場の社長が仲裁に入ったんです。町田の爺さんが正式にひと前で竹内に詫びを入れて、迷惑料も払って、それでシャンシャンとなった。もう引きずってはいないはずなんですがね」

「じゃあ、石丸が竹内に殴りかかった直接の原因は何だ？」

「そいつがわからないのです」山野は首を振った。「移籍についちゃもう終わっているんだし、妨害もなくなった。なのにあの日、なんで竹内に喧嘩を売りにいったのか、おれにもわからない」

「目撃者は、どう言ってるんだ？」

「いきなり竹内に殴りかかったそうです。何をやったか、胸に覚えがあるだろうとか、幸一はそういうことを言ってたらしい」

「弁護士には、刃物は持っていなかったと言っているようだな」

「そこなんですよ。あいつは喧嘩に刃物を持ち出すタイプじゃない。だけど、竹内が刃物で刺されて死んだのはたしかなんです。幸一が、刃物は持っていなかったと言うのは、おれが考えても無理がありますよね」

「ふつう、殺人の容疑者が言いそうなことではあるな」

「だけど、あいつは、やったならやったと言いますよ」

「殺人か、傷害致死かの判断の分かれ目だ。それを計算しているのかもしれない」

「殺人と傷害致死では、そんなにちがいがあります？」

「大違いだ。殺人罪なら、死刑、無期、または五年以上の懲役。傷害致死なら、三年以上の有期懲役」

「どっちにしたって、かなりの罪だな」

「それでも傷害致死なら、世間の目も、殺人のときほど厳しいものにはならないだろう」

「そんなこと、計算する男かなあ」

「石丸の家族は？」

「父親は、やつがちょうど漁業研修所に入ってるころに海難事故で亡くなりました。母親は健在です。姉貴は、おれの弟と結婚して、斜里《しゃり》に住んでます。ほかに妹がふたり。どちらもこの町で働いてます」

「石丸自身は独り身なのか？」

「ええ。女の子には人気なんですけどね」

「結婚しない理由でも？」

「家族を養っているからでしょう。十九のときから、一家を背負って働いていた男なんです。妹ふたりが嫁に行くまではしない、と言ってたことがありますよ」

「石丸のうちと、事件の現場に案内してくれるかな」

「聞き込みですか？」

「地理を頭に入れたいだけだ。石丸たちが移った先の船は漁港に？」

「ありますよ。第十八鷲丸。だけど、幸一が逮捕されて、今年の操業は厳しくなりますね」

山野は、四輪駆動車を漁港まで戻して、石丸たちの漁船を見せてくれた。岸壁の端の、いくらかくたびれた白い漁船がそれだった。山野は、このクラスの漁船の建造費は一億五千万円ぐらいだと言った。船の寿命はだいたい五年から七年。それだけの期間使うと、統を組む漁師たちはまた共同出資で新しい船を造る。漁協がそのカネを漁師ひとりひとりに融資するのだという。

船がそれほどの価格だとするなら、逆に言えば漁師たちは、この船でもっと多くを稼ぐということだ。ある意味で、それは利権と言えるものだろう。たしかに後継者難という程度のことで、手放してよい権利ではなかった。

利権をめぐっての対立？　それが殺人事件に発展したということか。一本気で気《き》っ風《ぷ》がよい青年と言っても、やはり人生の根幹にあるのはカネか。カネをめぐってなら、人も殺すということか。

仙道は、山野に訊いた。

「石丸は、どんな車に乗っている？」

「車？　古いダットサン・トラックだと思いますけど」

その答でまたわからなくなった。石丸という青年の姿が、まだフォーカスを結ばない。少なくとも、高級な車に乗ることこそが自分の幸福というタイプの青年ではないようだ。


石丸幸一の家は、海岸沿いの住宅街の中にあった。まわりの住宅もほとんどみな、漁師たちのものだという。そこそこに新しいサイディング・ボード貼りの住宅が多かったが、壁にトタン板を貼り付けた、昔ふうの漁師の住宅も点在していた。石丸の家は、そのトタン貼りの住宅のひとつだった。平屋建てで、脇に風化の進んだ磯舟が置かれている。かつては石丸の両親たちは、この舟でコンブ漁やウニ漁に出ていたのかもしれない。

その住宅街を抜けてから、町の本通りに戻った。現場だという料理屋は、警察署からほんの五百メートルほどのところにあった。本通りに面している。「雄多香」と看板がでている。ゆたか、と読むのだろう。

左側に、車七、八台分の駐車スペースがあった。もちろんいまは、とくに黄色い阻止テープなど張られていない。

店は、町の中では高級店に分類されるという。寿司と海産物料理を出す。座敷が四つあって、宴会にもよく使われる。

仙道は訊いた。

「この店は、どっちがよく使っていたんだ?」

山野は答えた。

「もちろん、竹内ですよ。羽振りのいい連中が使う店です」

「石丸は、酒は飲むのか?」

「漁師ですからね。大きな声じゃ言えないけど、漁業研修所から帰って来たときには、もう飲みだしていたでしょう。二十歳前で」

「その漁業研修所というと、函館の?」

「ええ、正確には鹿部《しかべ》の。漁師の息子は、高校を卒業するとたいがい研修所に入ります。一年で必要な免許は全部取れるし、行かない子はいないですね」

雄多香の前を通りすぎてから、山野が横目で仙道を見て訊いた。

「どうです?　なんとかしてやれるでしょうか?」

仙道は口を結んで首を振ってから言った。

「難しいかもしれない。殺人の動機は十分に思えるし、刃物の件がある」

「救ってやる方法はありませんか？」

「あとは、喧嘩に至るまでの相手方の嫌がらせの中身次第だな。ひとを殺すまでに追い込まれていたとわかれば、公判で情状酌量を求めるという手は使える。決定的な証人を少なくとも三人は揃えることが必要だと思うが」

「嫌がらせね」

「こういうとき、警察に被害届けが出ていれば、そいつは使える」

「そうとうのことがあっても、被害届けなんて出すやつじゃないですね」

「とにかくどんな嫌がらせを受けていたのか、情報を集めてみよう」

「どこに行きます？」

「統の関係者。弟分の若い衆。それから、家族」

「何か出てきそうですか？」

「まだわからないが、さっき極道たちが出てきたんだ。やつらが何か裏でやらかしているんだろう。だから、警察以外の者の好奇心が気になっているんだ」

「嫌がらせを実際にやったのは、連中なのかな。竹内が、頼んだとか」

そう言いながら山野は、メイン・ストリートで四輪駆動車を少しだけ加速した。

石丸の家に着くと、山野が玄関口を開けて中に言った。

「母《かあ》さん、山野だ。いるかい。ちょっと会わせたいひとがいるんだ」

奥から、六十前後と見える歳の女性が出てきた。潮焼けした顔で、目が大きい。くすんだ色のTシャツに割烹着《かっぽうぎ》姿だった。山野に小さく会釈してから、首をかしげた。

山野が言った。

「道警のひと。幸一のことで助けになってもらえないかと思って、札幌から来てもらったんだ」

その紹介に、仙道は困惑した。たしかに自分は、道警の刑事、と名乗っても詐称ではないが、しかし公務で訪ねてきたわけではない。これを公務と誤解させたくはなかった。

名乗ってから、仙道は言った。

「山野さんの友達です。このたびは幸一さんがとんだ災難に見舞われて。山野さんからの頼みで、何かお役に立てないかと」

石丸の母親は、飾り気のない調子で言った。

「ここの警察署のひとじゃないの？」

「ちがいます。道警本部」

少しためらってから、仙道は自分の名刺を渡した。聞き込み用ではなく、あらたまった場での自己紹介用のものだ。正式な所属と階級が記されている。

母親は名刺に目を落としてから訊いた。

「幸一の事件を受け持ってるの？　取り調べの刑事さんとはちがうの？」

「いえ、ちがいます。きょうきたのは、プライベートな立場でです。こうなってしまった事情について、もし警察が気にとめていないようなことがあれば、調べてこちらの警察に伝えてやろうかと」

「ここの警察のひとは、承知してるの？」

「していません」

母親の顔には困惑が浮かんだ。

「捕まったばかりだし、警察だって調べてくれてると思うんですよ。わたしは何も言わないほうがいいんじゃないだろうか」

「警察は、事情を聴きにきましたか」

「ああ、一度。だから、わたしがほかであんまりしゃべらないほうが」

「警察には言いにくいことでも、わたしにになら話せるんじゃありませんか？」

「同じだよ」母親はきっぱりと首を振った。「息子が何をやったのかは承知しています。取り調べの刑事さんと一緒にきてください。それだったらしゃべるから」

山野が仙道の後ろから言った。

「母さん、安心してしゃべって大丈夫だよ。幸一の味方になってくれるひとだから」

「へたに騒ぎたくないんだ。せっかくですけど、このまま帰ってもらったほうが」

その目の色には、何の逡巡もなかった。この決意を翻《ひるがえ》させるのは困難だ。仙道はあきらめた。

頭を下げて、玄関口から離れようとした。

母親が、半分独り言のように言った。

「優しい子なんだよ。妹たちを可愛がってた。ほんとに優しい子なんだ」

山野が訊いた。

「お姉《ねえ》ちゃんたちは？」

母親は、山野に顔を向けずに言った。

「よしてくれって。かまわないで」

山野は肩をすぼめた。

四輪駆動車に戻ると、山野が言った。

「刑事がプライベートでやってきた、って意味がわからなかったんでしょうね」

「そうだろう」仙道は同意した。「町田の親方のところに行ってくれるか」

「この近所です」


町田老人は、自宅の裏庭にいた。ごく小さな菜園で、キュウリを収穫中だったのだ。

仙道たちがいましがたと同様に名乗ると、町田はヤンマーのキャップを脱いで小さく頭を下げた。漂白剤にさらしたような白い髪が、職人ふうに刈ってある。年齢に似つかわしいしたたかそうな目をした老人だった。

町田は庭の隅を指さした。手作りらしきテーブルとベンチがある。そこで話そうということのようだ。

仙道たちがベンチに腰掛けると、町田はいまいましげに言った。

「幸一は、はめられたんだよ。あいつが喧嘩をしかけたんじゃない。絶対にちがう」

仙道は訊いた。

「はめたのは、竹内さんだっておっしゃってるんですね？」

「そうだよ。手打ちもしたのに、竹内は納得してなかったんだ。幸一が刑務所に入ったら、今年のうちの漁はおしまいだ。幸一がいなくなって、ついてきた若い衆も戻るって言い出してる。あっちは万々歳さ」

山野が、仙道の脇で言った。

「だけど、町田さん。竹内は殺されてしまったんだよ。竹内がはめようとする気持ちはわかるけど、自分が殺されたら、元も子もない。怪我をするだけだって、船には乗れなくなったかもしれないんだ」

「はめられたんじゃなかったら、なんで幸一は竹内の前に出ていったんだ？　竹内をぶん殴るとか、すごい剣幕だったんだろ？」

「ぶん殴るってのは、幸一の口癖だよ。手は早いやつだけど、ひどい怪我をさせたことはないはずだぞ。一発二発ごつんと入れて終わりだ」

町田が仙道に顔を向けた。

「それでも、傷害罪がつくってことはないか」

仙道はうなずいた。

「少なくとも救急車で運ばれるような傷なら、逮捕されたでしょう。でも初犯なら、たぶん執行の猶予がつく」


「裁判が終わるまで、最低でも四、五カ月かからないか？　漁期は終わってしまう」

たしかにいったん逮捕されれば、起訴されて結審するまで、漁に出ることはできない。手打ちはしたが、あらためて石丸を罠にかけたという推測はありうる。殺される危険を冒さなくても、その罠は成立しうる。もっとも、石丸がその罠にひっかかるほど単純な男であればだが。

仙道は訊いた。

「石丸幸一は、それほどに切れやすい男でしたか？　事件を起こすことが破滅につながると知ってたはずなのに？」

「それほどの馬鹿かと訊いたのかい？」

「いえ、ちがいます。でも、まんまと相手の罠にはまるっていうのが、どうも」

「頭は悪くないさ。だけど、まっすぐだ。どうしても我慢できないときは、損得を考えないだろう」

「こんどの事件のせいで、家族も困ることになったでしょうに」

「それ以上に、何かやむにやまれぬ事情があったんだろうよ」

「それをご存じですか？」

「いや。わかってるのはただ」

町田が口をつぐんだ。

「なんです？」

町田は仙道を見つめて、吐き出すように言った。

「竹内は、ワルってことだよ。この町の漁師の中では、最悪だ。石丸の引き抜きについちゃ、たしかにおれはしきたりを破った。だけど、竹内のところからなら許せるって言ってる漁師も多いんだぞ。竹内ってのは、強欲なワルだよ」

仙道は気になって訊いた。

「角安組と、竹内とは親しかったんですか？」

「悪くはなかった。昔はこの町では、博徒も漁師も気質は似たようなものだった。どっちなのか、区別のつかないようなのもいた。竹内はいまでもそうだ。まったく、おれは今年、どうしたらいいんだ」

町田がキャップをかぶって立ち上がった。話はこれまでということなのだろう。仙道たちもベンチから腰を上げた。

四輪駆動車に戻ったところで、仙道は山野に言った。

「警察署に行ってくれ」

「どうするんです？」

「担当の刑事に話を聞きたい」

「聞かせてくれるものですか？」

「酒でも飲みながら、世間話をするってことだ」

「ご存じのかたなんですか？」

「いいや。だけど、休職中の仙道がきてると聞けば、興味を持ってくれるかもしれない」

山野はうなずいて、四輪駆動車のドアを開けた。


警察署一階のカウンターで、仙道は女子職員に名刺を渡した。

女子職員が一瞬驚いた顔をしてから言った。

「いまたぶん手が離せないと思います。お待ちになりますか？」

仙道は愛想よく言った。

「いや、いいんです。きょうはこの町に泊まるので、ビールを一緒に飲んでくれるひとがいないかと思ったものだから。携帯電話の番号が、裏に書いてあります」

「磯田の手が空いたところで、渡します」

警察署を出るとき、一階のフロアにいる五、六人の警官たちの視線を感じた。彼らの耳にも、仙道の名乗りが聞こえたはずなのだ。本部捜査一課の仙道です、という言葉が。それはたぶん彼らの耳には、自分はおおっぴらに名乗って歩ける者ではないのですが、と聞こえたのではないだろうか。

警察署の駐車場で四輪駆動車に乗り込むと、山野が訊いた。

「次はどこに？」

「石丸の弟分のところ。知っているか？」

「ええ。いまごろならパチンコ屋でしょう。江頭ってやつなんですけどね」

江頭泰治は、石丸幸一と同い年の青年だった。高校、漁業研修所で石丸と同期だったという。髪を金色に染め、ゆったりとしたワークパンツをはいていた。

山野が江頭に声をかけて、パチンコ屋の駐車場まで出てきてもらった。

江頭は言った。

「幸一なら、何かあればやりますよ。よっぽどのことがあったんだと思います」

仙道は訊いた。

「たしか、移籍の件は、一件落着していたんだろう？　もう竹内も問題にはしていなかったんじゃないかい？」

「ええ。わだかまりはあったと思いますけど、嫌がらせとかは収まっていた。だから、こんどのことじゃ、幸一が何に腹を立てて竹内のところに行ったのか、わからないんです。まして、刃物で殺してるんですからね」

「石丸は、刃物を持ち出すような男じゃないという評判を聞いてる。同級生のきみもそう思うかな」

「あいつは、使うなら絶対拳骨ですよ。刃物なんか持ち出さない。ほんとに幸一が刃物を持ってたのかと思う」

「ということは、この事件は奇妙だということだね」

「なんとなく、あいつ、こんなことやるかなあとは思いますよ」

「思い当たることはない？」

「全然」

江頭も途方に暮れているようだ。仙道はあといくつか質問したが、とくに興味を引くような答は得られなかった。彼にとっては、仙道や山野以上に不可解で理解しがたい事件ということなのかもしれない。仙道たちは礼を言って、江頭と別れた。

四輪駆動車に戻ると、山野が訊いた。

「どうです？　石丸はなんとかなりそうですか」

仙道は首を振った。

「余計わからなくなってきたぞ。動機もわからなくなってきた。移籍をめぐるトラブル、っていう単純な事件じゃないみたいだな。石丸を知っている者は誰もがおかしいと言う」

「だけど、起こったことは、はっきりしている。竹内が、幸一に刃物で刺されて死んだ」

「凶器はある。だけど、なぜそこにその凶器があったのか、石丸自身にもわからない」

山野の胸から、流行りのポップスの出だしが流れてきた。山野が携帯電話を取り出して耳に当てた。

仙道は、それまでに耳に入れた情報を整理しようとした。

動機。凶器。

もしかして石丸は何か隠しているのか？　この事件の裏には、周囲が納得する事情とはべつの何かが隠されているのか？　町の博徒たちも、どうやらその真相が暴かれるのを嫌っている節がある。つまりは暴力団がらみということか。

山野が携帯電話を切って言った。

「すいません、仙道さん。おれ、ちょっと仕事で緊急に行かなきゃならないところができました。少しだけ案内を抜けてかまいませんか」

「ああ、かまわん」

時計を見た。もう六時近い。

「レンタカーを取りに戻る」と仙道は言った。「ここの刑事と話をするのに、適当な店はないかな。角安組に話が筒抜けにならないところがいいが」

山野は笑った。

「旅館の並びに、江戸屋っていう魚料理の店があります。あそこは中立ですから」

「内密の話はできるか？」

「できますよ。カウンターの端なら」

「あとでまた電話する」

山野は四輪駆動車を発進させた。


店に入ってきたのは、四十がらみ、仙道とほぼ同年代の男だった。白いポロシャツ姿で、手にジャケットを下げている。四角い顔だちで、髪にはたっぷりの整髪料。胃痛でも抱えているかのような表情をしている。

男は仙道と視線が合うと、口の端を持ち上げた。微笑したつもりのようだ。磯田忠雄警部補。

この町の所轄の刑事係の捜査員だ。石丸幸一の取り調べを担当しているという。

仙道は会釈して言った。

「磯田さん？　仙道です。すみません、とつぜん誘ったりして」

「いいさ」磯田と呼びかけられて、相手はうなずいた。「聞きたいことがあるんだろう」

磯田は仙道の左隣のスツールに腰を下ろし、カウンターの中の店主に生ビールを注文した。

磯田が最初のひと口を飲んだところで、仙道は言った。

「こんどの事件、容疑者がわたしの知り合いの身内なんですよ。なんとか罪を軽くしてやりたいって懇願されて、それで事情だけでも伝えてやろうかと思って」

「容疑者の身内のほうに？」

「そうです。罪を軽くするなんて、簡単なことじゃないってことを、わたしの口から聞けば、彼らも納得する」

「そこまでしてやる必要があるか。殺人で現行犯逮捕だぞ」

「被害者側には、誰もが心のケアを考える。加害者側の身内にも、誰かやれる人間がやってやらないと」

「それであんたがボランティアか」磯田は仙道に顔を向け、遠慮のない視線で見つめてから言った。「休職中だと聞いたような気がする。ちがったろうか」

この話題に触れられるのは覚悟していた。いまではかなり軽い調子で、相手に合わせた答を口にすることができる。

「当分現場に出るな、っていう処分なんでしょうね。心療内科に通ってますよ。おかげさまで、反省できてます」

磯田はまた口の端を上げた。こんどははっきりと、微苦笑したと見えた。

「ほんとにしてるのかい」

質問ではなかったので、仙道は言った。

「ざっくばらんに聞きますけれど、容疑者はもう落ちたんでしょうね。単純な事件だし」

「それがな」磯田はもうひと口ビールを飲んだ。「刃物の件は、頑として否認するんだ。自分のものじゃない。自分はそんなものを用意していないって。その刃物で刺したことは認めてるのに」

「そいつはまた、矛盾だらけだ。供述調書になりませんね」

「まだできてないよ。こうなったら、こっちも粘る。あいつが否認してたって、辻褄は合わないんだ。もう少し締め上げれば、認めるだろう」

「動機については、なんて言ってるんです？」

「移籍をめぐるトラブル」

「自分でそう言ったんですか？」

「言わないから、そうじゃないのかと訊いたら、そのとおりだと認めた。トラブルがあったのは事実なんだ。動機については、ほんとだろう」

「だとしても、なぜそれが、五日前の犯行につながったんだろう。移籍の件はもう終わった話なんでしょうに。石丸はなんて供述してるんです？」

「ちょっと待ってくれ。立ち入り過ぎだぞ。たとえあんたが、刑事だとしてもさ」

「そうですね」素直に同意して、仙道はべつの質問をぶつけた。「目撃者ってのは、どういうひとたちだったんです？　刺したところもはっきり見たんでしょうか」

「被害者と一緒に飲もうとしていた連中さ。統の漁師たち三人。ちょうど車から降りたところだった。ほかに、店の客が五、六人。こいつらは、騒ぎを聞いて店から飛び出してきたらしい」

「全員が刺したところを見た？」

「ああ。いや、ふたりか三人、遅れて駐車場に出た者もいたか。そのときは、被害者はもう刺されて倒れていた。石丸がその脇で凶器を持って立ってたんだ」

「店の客は、石丸か竹内の知り合いですか？」

「竹内の知り合いがいた。この町の博徒たちも」

きょう漁港で会った男たちを思い出した。あの連中ということか。

「新聞では、まず殴り合いがあったとか」

「そうだ」と磯田は、そのときの様子を語った。

竹内が駐車場に車を入れて降りたところ、石丸も同じ駐車場に車で入ってきて、降りるなりいきなり竹内に殴りかかった。竹内も、多少は喧嘩馴れした男だった。黙って殴られていなかった。揉み合いになった。そばにいた男たちが、なんとかふたりを引き離そうとした。ここまでは石丸も認めているという。

そのあと、石丸が隠し持っていた刃物を取り出して、竹内を刺した。いまのところ、石丸は刃物など用意していなかったと供述している。刃物は自分のものではないと。つまり、計画性と殺意は否認しているということになる。

仙道は訊いた。

「刃物は、竹内が持ち出したものってことはないんですか？」

「竹内のものじゃない」

「包丁？　ナイフ？」

「漁師マキリ。このあたりの漁師が使うものだ。漁協で売ってる」

「石丸のものと確認されたんですか？」

「母親に写真を見せた。そうだと認めた」

「漁師が使うものなら、誰が持っていてもふしぎはないってことですね」

「漁のとき以外、普通持ち歩かない」

「じつを言うと」仙道は口調を変えた。「きょう港で、角安組の連中に身元調べをされました。事件のことを調べられたくない様子だった。理由はわかりますか？」

意外な質問だったようだ。磯田は目を丸くして言った。

「自分たちも現場にいたせいじゃないのか？　無関係なのは確認してる。やつら、関係あると思われたくないんだろう」

「わざわざそれを言い募ることもない。ほんとに無関係なら」

「石丸も、角安組のことについちゃ、何も言ってない。無関係だ」

「もうひとつ」

「もうしゃべりすぎた」磯田は、ジョッキを持ち上げて、残ったビールを一気に半分ほど飲み干した。「ここまでにしておこう。余計なことはしないでくれと、お願いするよ」

「そんなつもりはありませんよ」

「わかりやすい事件だ。何の謎もない。おれは、こいつを絶対に殺人で立件するつもりだ。ひとひとり衆人環視の中で刺し殺した男を、傷害致死で許したりしない。絶対に殺人で送るよ」

「許すか許さないかってのは、司法の領分です」

磯田はもう一度鼻で笑って言った。

「それが余計なことなんだよ、仙道さん。あんたはもう何人も殺人犯を挙げてるんだろう。ひとり殺人犯をわざわざ作ってしまったこともある。だけどおれは、コロシは初めてなんだ。邪魔をしないでくれないか」

殺人犯をわざわざ作った。

磯田の言葉は、仙道を刺激した。すでに慣れたはずの非難のつもりでいたが、まだまだこの手の言葉に、自分は動揺する。仙道は顔色を変えまいと努めた。

磯田が言った。

「ここはごちそうになる」

「ええ」

かすれた声の返事となった。

磯田が店を出ていってから、仙道は小さく吐息をついた。

カウンターの中で、ちらりと料理人がこちらを見た。五十がらみの、職人っぽい雰囲気のある料理人だ。もともとは寿司職人だったのかもしれない。

彼にはいまの会話は聞こえていまい。距離はほんの二間ほどでも、向こうは調理場。しかもすぐそばで換気扇が回っている。目の前での会話以外は聞こえないはずだ。

料理人はすぐに視線をそらし、また手元の作業にかかった。まな板の上で、刺身を造っているようだ。当たり前のことながら、包丁を使う手さばきが鮮やかだった。仙道はしばし、料理人の手並みに見入った。

いまの磯田の言葉が思い出された。

凶器の刃物というのは、漁師マキリ、とのことだった。漁協で売っていて、このあたりの漁師なら誰でも持っている刃物。漁師が仕事で使う。石丸は、刃物で竹内の胸を刺したことは認めたが、その刃物が自分の所有物であることは否認しているという。あらかじめ用意したことも。しかし、石丸の母親は、使われた刃物が石丸の持ち物であることを認めた。

やはりこの部分が引っかかる。

このあたりの漁師なら、誰もが持っている刃物。漁師マキリ。

誰もが持っているものなのに、写真を見て母親は石丸のものだと認めた。根拠は？

料理人が、刺身の造りの皿を運んできて、カウンターの向こう側から仙道の前に置いた。

仙道は料理人に訊いた。

「親方、漁師マキリって、どんな刃物なのか知ってる？」

料理人はうなずいた。

「知ってますよ。船の上で、漁師が魚をさばくときに使う刃物です」

「マキリ、っていうのはアイヌ語だよね」

「そうです。だけどこのあたりじゃ、あの手の刃物をマキリって言いますね。片切刃の」料理人は、両手の人指し指でそのサイズを示した。「刃がこのぐらい。全体だとこのくらいの大きさですかね」

全体で二十五センチ前後の小刀ということのようだ。

「誰もが持ってる？」

「漁師なら、持たないひとはないでしょう。アマチュアの釣り師も持っているね」

「肌身離さず持ち歩く？」

「いや、船とかに置いておくんじゃないですか。釣り師なら、車の中に積んでるかもしれないけど」

「種類はいろいろあるのかい？」

「用途によっては、刃や柄のかたちが、微妙にちがっているかもしれません」

「そういう刃物って、ひとが見てすぐ区別がつくものだろうか。これは誰のかって」

「本人ならわかるでしょう。だけど、特徴のないマキリなら、難しいんじゃないかな。白木の柄なら、まだ汚れ具合で区別がついても、プラの柄なんかだと、ちょっと」

「プラの柄もあるのか？」

「ゴムとかね。船の上で滑ったりしないように、最近はラバーグリップが流行ってるかもしれません」

石丸のマキリは、どのようなものだったのだろう。母親が写真を一目見て特定できるようなものだったのだろうか。

仙道は料理人に訊いた。

「そういう漁師マキリって、いろいろブランドがあるのかい？」

「あるのかもしれません。だけど、漁協なんかで売ってるのは、ほとんど札幌の宮文刃物店ののじゃないのかな」料理人は話題を変えた。「お客さん、警察の方？」

「そうなんだ」仙道は料理人に頭を下げてから、目の前の造りに箸を伸ばした。

目の前の生ビールを飲み干したところに、山野がやってきた。

車は置いてくつもりです、と彼は言った。だからお酒もおつきあいできますと。

いましがたまで磯田が腰掛けていた席を勧めると、山野は訊いた。

「取り調べ、どうですって？」

仙道は答えた。

「本人が正直に供述しているなら、傷害致死だ。殺人じゃない」

「よかった」

山野は店主に大声で言った。

「おれにも、ジョッキ」

「乾杯は早い」と仙道は言った。「ここの刑事は、何がなんでもこの事件を殺人で立件するつもりだ。石丸の供述をハナから信用していない。裏付けを取るつもりもない。一本調子に脅せば落ちると思っているようだ」

「仙道さんから、何か言ってやってくださいよ」

「そういう立場にない。決定的な証拠か証言でも、示すしかないな。もう少し運転してもらうことになりそうだ」

山野が料理人に首を振った。ビールの注文はキャンセルだ。

仙道は言った。

「あんたならわかるだろう。石丸が切れてしまうのは、どんなときだろう。何があったら、前後の見境なくひとに殴りかかるだろう」

「移籍の妨害のことじゃなくて、という意味ですか？」

「そう。それよりももっと石丸を怒らせるもの」

「何かなあ。とにかくでたらめや嘘が大嫌いなやつだし」

山野はふとかすかに微笑した。

「妹」

「妹？」

「あいつ、すんごく妹想いですからね。子供のころから、妹がいじめられたりすると、絶対に黙っていなかった。いちど、中学のころにもいじめっ子をボコったことがあったな。さすがに学校でも問題にして、それ以来、妹たちも逆に、さほどのことでないなら、幸一には隠すようになったとか。いちばん下の妹が何かされたとき……」

山野がふいに言葉を切った。仙道は山野の顔を見つめた。山野はまばたきしている。

「どうした？」

「いえ」山野は、小首をかしげて言った。「由紀ちゃんは、どこに行ってるんだろう？」

「由紀ちゃんって？」

「いちばん下の妹です。このあいだから見ないぞ」

「この町で働いていると言ってなかったか？」

「ええ。上の妹の春美ちゃんのほうは、加工場の事務員。由紀ちゃんは、地元の信用金庫に勤めてるんですが。このところ、顔を見ていない」

「いつごろから？」

「事件の前あたりからです。そういえば」

「携帯、つながるか？」

「いえ。おれは由紀ちゃんの携帯は知らないんです。上の春美ちゃんのはわかる」

「どうしているか、聞けるか？」

「聞いてみます」

山野は携帯電話を取り出して、ボタンをいくつか押してから耳に当てた。仙道は山野を注視した。

やがて相手が出たようだ。

山野が短く名乗ってから言った。

「ほんとにこんどのことでは。いま、知り合いの札幌の刑事さんに来てもらってるんだ。なんとか幸一を助けたくて。ああ。殺人罪なんてことにはならない。あれははずみだってことを、調べてもらってる。ああ、うん」

山野は横目で仙道を見てから電話の相手に訊いた。

「ところでさあ、いま由紀ちゃんどうしてる？」

山野は怪訝そうに眉をひそめた。

「いや、見てないから、ショックで寝込んでるんじゃないかと思って」

「旅行？　こんなときに？」

「わかった。わかった」

山野は肩をすくめて、携帯電話を切った。

仙道が見つめていると、山野は言った。

「男は知らなくていいって、どういう意味なんだろう？」

「そう言ったのか？」

「そんなこと心配しなくていいって。訊いたらいきなり不機嫌になったよ。兄貴が逮捕されたんで、カリカリしてるのはわかるけどさ」

仙道は、石丸幸一の母親の顔をもう一度思い浮かべた。自分は道警本部の刑事だと名乗ると、母親は困惑した顔になったのだった。まるで仙道が、泥の沼から這い上がってきた動物か何かのように。それ以上近づけば自分は悲鳴を上げることになる、とでも言っているように。警察官と名乗ったことで、あれほど激しい嫌悪感を呼び起こしてしまったことに、仙道はかなり狼狽したのだった。

あれは警察官に対する拒絶反応だったのだろうか。あるいは……。

幸一がなにをやったかは承知している……。

そうも言った。たしかに理解しているにはちがいないが。承知している……。

山野はまた携帯電話をかけ始めた。山野は仙道に顔を向けると、弟、と短く言った。

すぐにつながったようだ。

「おれだ。澄子ちゃんはいるかな。いま電話に出れる？　いや、幸一のことが心配で、道警の刑事さんにきてもらってるんだ。いや、なんとか軽い罪にしてもらうつもりさ。だから。うん、それで、澄子ちゃんいる？　このあいだ、事件のころから、由紀ちゃんの姿が見えないよな。澄子ちゃんなら、どこにいるか知ってるんじゃないかと思って」

山野はいったん携帯電話を耳から離して言った。

「話したとおり、弟のカミさんが、石丸きょうだいのいちばん上。幸一の姉さんなんですよ。何か知ってるんじゃないかと思って」

「出るのか？」

「ええ」

山野はまた携帯電話に話し始めた。

「澄ちゃん？　いや、だから、幸一を助けたいのさ。何か深いわけがあるんだろうって思ってな。それで、由紀ちゃんが見当たらないけど、このことと何か関係あるかなと思って。澄ちゃんなら、姉貴なんだから何か知ってるかもと思ったのさ」

山野は顔にとまどいを見せた。意外な言葉が返ったようだ。

三十秒ほど、山野は小さくうなずくだけだった。相手が一方的にしゃべっているようだ。

「わかった。わかった。おれはただ、幸一をなんとか助けたくて」

山野は携帯電話を耳から離して、口をへの字に曲げた。

どうしたと訊くと、山野は答えた。

「春美ちゃんと同じような反応でした。若い娘のことを、いちいち詮索しないで、だそうです。何か知ってる様子ですね。だけど、おれたちには言いたくない」

仙道は立ち上がった。

山野がふしぎそうに訊いた。

「どこへ？」

「もう一回、町田を訪ねよう」

腕時計を確かめた。まだ七時前だ。いきなりひとを訪ねても失礼には当たらない時刻だろう。

山野も、携帯電話をシャツの胸ポケットに入れて立ち上がった。

メイン・ストリートを走り出してすぐ、左手の料理屋の前で、黒いセダンを見た。事件現場となった料理屋・雄多香の前だ。丸刈りの男が後部席のドアを開けていた。ちょうどあの博徒の遠藤が降りたったところだ。眉を剃った男はすでに助手席の脇に立っている。会食があるようだ。

山野の四輪駆動車はその店の前をすぐに通過した。

町田老人は、茶の間のテーブルの上に自分の漁師マキリを置いて見せてくれた。

長さは二十五センチ前後か。木の柄に、同じ材質らしき木の鞘。抜くと、刃は十二、三センチの長さだ。片刃で、刃にそりはない。柄は汗が滲んだのか薄茶色だが、もともとは鞘と同じく白木だったろう。柄の下のほうに、宮文、という焼き印が入っている。全体に、よく使い込まれている、という印象のある刃物だった。

仙道は、その漁師マキリをじっくりと眺めてから町田に訊いた。

「漁師なら、必ず持っているものなんですね？」

「持ってる」と町田は言った。「なしでは、仕事にならない。もっとも、このかたちのマキリは、北海道独特のものらしいぞ。内地の漁師は、ちがうマキリを使うとか」

「石丸のマキリを見たことはありますか？」

「ああ。あるよ。ふだんは船に置いてある」

山野が驚いたような声を出した。

「十八鷲丸に？」

「このあいだ、整備のときには、見た」

「事件の前?」

「前だ」

仙道は訊いた。

「ひとりの漁師が、このマキリを何本も持ちますか?」

「さあ。ふつうは一本じゃないのか? 趣味で使うものじゃないし、何本も持つ漁師がいたら、ちょっとはんかくさいぞ」

はんかくさいというのは、愚か者、という意味の北海道弁だ。大の大人が他人にこう言われたら、それはそうとうに恥ずかしいことになる。逆に言えば、石丸のような青年は、絶対に何本もマキリを持っていなかったと想像できる。いまも船に石丸のマキリが置かれているとすれば……。

仙道は、町田に頼んだ。

「船に石丸のマキリが置いてあるかどうか、確かめてくれませんか。一緒に行きます」

町田はうなずいて山野に言った。

「乗っけてくれ」

町田は、操舵室の足元から横にした箱を引っ張りだした。プラスチック製で、小型のクーラーボックスのようにも見える。

町田は蓋を開けた。中には工具類が整理されて収められていた。工具は自動車用のものにも似ている。

町田が言った。

「幸一は、機械とエンジンが得意だ。電気は苦手らしいけどな」

町田は、古いタオルにくるまった棒状のものを取り出した。漁師マキリだった。町田が持っていたものと較べると、峰の側から切っ先へ、ラインがより鋭角的に落ちている。刃渡りも二センチほど長いように見えた。

仙道は訊いた。

「これは、町田さんのマキリと種類がちがうんですか？」

「かたちが少しだけちがうな。あいつの好みなんだろう。使って、研いでいるうちに、そういうかたちになったのかもしれない」

「まちがいなく、石丸のなんですね？」

「やつが持ってるのはこれだ。おれは、これしか見たことはない」

仙道は山野を見た。山野は、いくらか得意そうだ。ほうらね、とでも言っているようだ。あいつは刃物を用意して、あの場に出向いていったわけじゃないんだ。

問題は、母親が犯行に使われたマキリの写真を見て、石丸のものだと認めたことだ。でも、現物ならともかく、写真を見て、女性に刃物の区別がつくだろうか。石丸がふだん船に置いておくような刃物を、母親が見慣れていたはずはない。これが加害者の使った刃物だと説明されれば、気が動転している母親が、息子のものだ、と言ってしまってもふしぎはないだろう。

では、自分のものでもないマキリが、なぜその事件現場に忽然と出現し、激昂していた石丸の手に握られていたのか？

磯田も、その場には石丸はひとりでやってきたと言っていた。これに対して、竹内の側は身内の漁師と一緒。しかも店の中には、親しい角安組の連中もいた。

石丸の供述を信じるなら、マキリは石丸以外の、その場にいた誰かが持っていたのだということになる。誰かが石丸に渡した？　それとも誰かが石丸を刺そうとして、逆に取り上げられた。興奮しきっていた石丸は、そのことさえ覚えていない。そういうことか？

仙道は、町田と山野の両方を見ながら訊いた。

「角安組は、何か魚とは関係してますか？　彼らが実際に魚を扱うことはありますか？」

町田は答えた。

「密漁。鮭の密漁をやる。町はずれの川で、タモ網を使って」

「組員たちが？」

「その時期には、よそのチンピラも雇うようだ。遠藤自身は何もしてないだろうが」

見えてきた。

凶器のマキリは、その場にいた者のうちの誰かが持っていたのだ。その所有者は、まず十中八九、角安組の組員の誰かだ。きょう見たあの三人のうちの誰とまでは確言できないまでも。

磯田、と仙道は胸のうちでひとりごちた。あんたは現場にいた目撃者たちから、あらためて聴取すべきだぞ。目撃証言のひとつひとつを、緻密に比較すべきだぞ。誰かが肝心のところで嘘をついている。あるいは、肝心のところを語っていない。そもそも犯行に使われた漁師マキリだって、白木の柄にしみこんだ汗のＤＮＡ鑑定までやっていい。それは可能なはずだ。必ず殺人犯として落としてやるという空回りの決意さえ捨てれば。

これで石丸の罪状は、殺人から傷害致死に大きく動いたことになる。問題はあとひとつ、動機だ。


仙道は町田に礼を言ってから、山野に声をかけた。

「もう一カ所頼む」

「次はどちらです？」と山野。

「雄多香だ」


仙道がそのセダンの助手席に乗り込むと、運転席の丸刈りの男は激昂した声で言った。

「馬鹿野郎！　誰だよ」

仙道は自分の顔を相手に向けて、おだやかに言った。

「親分から聞かなかったか。道警の刑事だよ」

丸刈りの男は、鼻孔をふくらませ、唇を突き出した。しかし、何も言い返しては来なかった。

「ひとつ聞きたくてさ、山本。山本博之だったよな？」

山野が教えてくれた名だ。丸刈りのチンピラなら、山本って名だと。

山本は、うなずくでもなく、首を振るでもなく、挑むように仙道をにらみつけてくる。

仙道は言った。

「ほんのひとつ聞きたいだけだ。いいだろう？」

山本は言った。

「なんだよ」

「そう突っ張るなって。ひとことだけ答えてくれたらいいんだ。お前を逮捕《パク》ろうっていうんじゃない」

「どんなことだよ」

「例のことだよ」

山本は、仙道を凝視してくる。仙道が何を話題にしているのか、必死でそれを探ろうという目だった。

「石丸の妹のことさ。由紀ちゃん」

山本の顔は変わらなかった。相変わらず仙道を凝視したままだ。つまり指摘されたその一件については、思い当たることがあるということだ。

「あのことについて、教えてくれ」

「知らない」

「ひとことでいいんだ。そうだか、ちがうか。ひとことだけでいい」

「何のことだよ。おれは何も知らないって」

「あれは、はずみだったんだろう？　親分がやれと言ったんじゃないよな？　はずみだろう？」

「知らない」

「ひとことでいいんだ。答えたって、逮捕しない。ただ、確かめておきたいだけだ。あれははずみだったんだってな。どうなんだ？」

仙道は無理に笑みを作って山本を見つめた。

山本は激しく葛藤しているようだった。答えるべきか、しらを切るか。仙道はすべての事情をもう知っているのか、それともかまをかけているだけか。

「頼む」と仙道は哀願するように言った。「はずみだろう？　ちがうか？　そうなのか？　ひとことだけ答えてくれたらいい。はずみだよな？」

山本は苦しげに息を吐いてから言った。

「そうだ。はずみだ」

仙道は、ふいに自分の肩が重くなったことを意識した。巨人が肩に両の手を置いたかのようだ。どうだ、おれの重さに耐えられるかと、そう問うているように。

仙道はやっとの想いで言った。

「正直だな」


四輪駆動車に戻ると、山野が仙道を見つめて驚いたように言った。

「どうしました？」

「何か？」

「顔が、険悪になっていますよ」

「そうか」身体がぶるりと震えた。「殺意をこらえたのさ。やつを、ぶちのめしてやりたかった」

「どうしたんです？　何を聞きに行ったんです？」

「やつがやったこと。あいつは、石丸の妹をレイプしていたんだ」

山野は愕然とした顔になった。

「いつです？　由紀ちゃんを、いつ？」

「竹内が、角安組を使って嫌がらせをやっていた時期だ。竹内や遠藤は、由紀を怖がらせるだけのつもりだったのかもしれない。だけどあの坊主頭が、その場になってぶっ飛んだ。由紀をレイプしてたんだ」

身体がこんどは二度震えた。

山野が言った。

「仙道さんの想像を、聞かせてください」

「さっきの飲みかけの店に行こう」

「こんどこそ、おれ、飲みますよ」

「おれだって、飲みたい」

カウンターの端の席で、仙道は声をひそめ気味に話し出した。自分が想像する事件の構造、事件の輪郭についてだ。

山野は、ずっと押し黙ったままで聞いていた。ときおり、あえぐような切ない吐息をもらすだけだった。

石丸幸一による竹内勝治殺害事件は、磯田が想像しているような、移籍をめぐるトラブルから派生した事件ではない、というのが、仙道の立てた仮説だ。そもそも殺人事件ではない。傷害致死事件だ。犯行に使われた刃物は、たまたま現場で石丸が手にしたもので、事件に計画性はなかった。石丸には、激しい憤怒はあったにせよ、竹内を殺害しようとする意志もなかった。

動機について、石丸は隠している。正直には語っていない。そのことを明らかにするつもりもない。石丸はその動機を、刑務所まで持ち込んで一切明かさない決意だろう。

石丸の母親も姉妹たちも、ほんとうの動機は知っている。しかし、それを明かすつもりはない、という幸一の決意を尊重している。それが、家族にとってもっともよいことだと信じ込んでいる。たとえ幸一が殺人罪で起訴され、罪状にふさわしい判決が言い渡されようともだ。

仙道は、自分の仮説をそこまで語ってから、焼酎をひと口飲んだ。山野もならった。

「嫌がらせは」と、仙道はまた口を開いた。「石丸のいちばん下の妹にまで及んだ。竹内の意を受けた角安組は、家族をおびえさせることはなんでもやった。しかしみな、こらえた。もしそのことに石丸が激怒して、角安組のチンピラと揉めるようなことになったら、石丸はそこでアウトだ。刑務所行きだ。今年の鮭漁も駄目になる。家族はみな、兄貴に気をつかったのさ」

だけど、と仙道は続けた。由紀への嫌がらせのとき、チンピラの山本が暴発した。角安組には
そこまでするつもりはなかったろうが、山本はレイプまでしてしまったのだ。角安組は、ならば

それでもかまわないと考えたろう。身内からひとり犠牲は出るが、妨害工作は成功する。石丸が山本に反撃して傷害事件となる。

しかし由紀はこのときも耐えた。病院にも行かず、警察に届けることもなく、事件をないものにしたのだ。幸一の移籍を無事に成功させるためだった。その暴行の直後に手打ちとなり、移籍をめぐるトラブルは収束した。

しかしその後、由紀が妊娠しているとわかった。母親と姉妹たちは、やはり幸一には内緒で、これを解決することにした。もし幸一の耳に入れたら、幸一はたとえ自分が刑務所に行くことになろうと、相手に激しく仕返しするにちがいないからだ。保守的な漁師町でのことだから、そのことが世間に知られることは、由紀に決定的なダメージを与えることになるかもしれない。あるいは、世間体が気になったか。

母親たちは、適当な理由をつけて由紀に仕事を休ませ、どこかよその町で中絶手術を受けさせることになった。

しかし、ひとつ屋根の下での出来事だ。隠すことにはやはり無理があった。石丸幸一がこの事実を知ったのは、事件のあった日、それもほんの数十分ほど前であったろう。

由紀を暴行したのが角安組のチンピラであろうと、黒幕は竹内だ。石丸は竹内がよく行く料理屋に向かった。着いたとき、ちょうど竹内もその料理屋の駐車場に車を入れたところだった。

石丸は思わず竹内に殴りかかったのだろう。竹内の知り合いが、これを止めようとした。いや、反撃したかもしれない。石丸はいよいよ激昂した。理性も分別も完全に失われた。

騒ぎを聞きつけて、店にいた角安組の連中も竹内に加勢した。このとき、竹内を守ろうと、角安組のひとり、たぶん眉のない男が、自分の漁師マキリを取り出した。石丸は一瞬のうちにこれを奪い取り、竹内の胸に突き立てた。

寸秒の後、石丸は理性を取り戻した。自分の足元には、竹内が倒れている。自分の手にはマキリ。石丸はなぜ自分がマキリを持っていたのかわからない。石丸がマキリを地面に放ると、そばにいた連中はあらためて石丸に飛び掛かり、はがい締めにした……。

仮説を語り終えて、仙道は長く息を吐いた。殺人ではなく傷害致死であったと、その仮説を組み立てたところで、この解釈のほうがほんとうに救いのあるものだったろうか。これを証明するには、公判で由紀や母親の証言が必要になる。幸一が自分の生涯を賭けて守ろうとしている家族の名誉を、この仮説は踏みにじることになるのだから。

山野はカウンターの表面を見つめたままだ。反応してこない。

仙道は訊いた。

「どうだ？　この想像で、納得できるか？」

山野は顔を歪めた。いまにも泣きだしそうに見える。

「幸一が哀れだ」と山野は言った。「あんないいやつが」

「幸一の痛みを、家族も分かち合うべきだ。幸一ひとりで、背負うことはないんだ。由紀って子だって、いつかは立ち直れる」

「どうするんです？　あの刑事に言うんですか？」

「いや」考えをまとめながら、仙道は答えた。「明日の朝、もう一回母親に会う。幸一を救ってやれって、説得する。マキリが石丸のものだという証言を撤回して、由紀の一件を話せば、磯田も殺人での立件はあきらめるだろう。いま幸一を救えるのは、母親だけだ」

「仙道さんが、担当の刑事に直接言ってやらないんですか」

「刑事にだって、誇りがある。休職中の刑事に間違いを指摘されたとなると、面白くない。依怙《いこ》地《じ》になるかもしれない。傷害致死だと気づいたのも自分の手柄ってことにしたほうがいいのさ」

仙道は目の前にあるグラスにまた手を伸ばした。きょうの酒は、明日に残したくはなかったが、きょうは渇いていることもたしかだった。もう一杯、飲むか？


女満別からの便を降りて、札幌丘珠《おかだま》空港のバス乗り場に向かっているときだ。電源を入れたばかりの携帯電話が振動音を立てた。

モニターを見ると、磯田からだった。

仙道は立ち止まって、携帯電話を耳に当てた。

「いまどこだ？」と磯田が訊いた。「近所にいるのか？」

「いや。札幌です。何かありました？」

仙道は答えた。

「いや、事件のことさ。母親がきて、マキリの実物を見せてくれないかって言うんだ。見せてやったら、これは石丸のものじゃないって言う。ちょっと気になることも話していってな」

「あんたが思ってた通り、裏があったんでしょう？」

「裏？」

「あんた、そう言ってませんでしたか。刑事の勘じゃ、絶対に裏があるって」

「そう、そうなんだ」磯田の声はうれしげなものになった。「そうだよ。思ってた通りだ。単純な移籍トラブルじゃなかったんだ。おれは、石丸が不服でも、きちんと傷害致死で立件してやるね。殺人じゃない。もうひとつ、山本っていう地元のチンピラも挙げられるかもしれない。そのことを、教えてやりたくてさ」

「いい話だ。さすがですよ」

「余計なことをされないうちでよかったよ」

「おれのことですか？　余計なことなんてしませんって」

「こんど、いつこっちにくる？」

「どうしてです？」

「いや」磯田は言いにくそうな調子になった。「ビール、たかっちまったなと思ってて」

「そのうち」と仙道は言った。「また行きますよ」

電話を切ると、仙道は地下鉄駅に接続する連絡バスに乗り込んだ。四十分後には、自分の部屋に帰り着いているだろう。

きょうも飲みに出よう、と仙道は決めた。この飲酒癖を抑えることができれば、たぶん自分の職場復帰は、もう少し早まるにちがいないのだが。

消えた娘

河川敷のジョギング・コースからも、その男が自分に視線を向けているのがわかった。何分も前から、その場に立っていたようだ。

ちょうど、ジョギングを切り上げる時間だった。仙道孝司《せんどうたかし》は歩調をゆるめながら、呼吸を整えた。

空はこの季節にふさわしい快晴で、空気は澄みきっている。豊平川《とよひら》のかなり下流先までくっきりと目に入った。一キロ先を走るジョガーの顔さえ識別できると思えるほどにだ。

しかし、土堤《どて》の上に立つ男には、心当たりはなかった。地味なジャケットに、ハンチング帽子。年齢は、中年だろうという程度にしかわからない。警察の同僚だったろうか。それとも、仕事で関わりあった人物だろうか。

その男は、河川敷から土堤へと続くスロープの上に立っていた。ちょうど信号機があって、この河川敷を使った緑地公園の出入り口となっている場所だ。

いずれにせよ、と仙道は判断した。おれに用事があるのだろう。おれがこの時刻、このジョギング・コースを走っていることを知っている人物だ。おれの日常についての情報を、入手した者だ。

タオルで顔の汗を拭きながらスロープを上がると、男は遠慮がちな微笑を仙道に向けてきた。やはり、まったく心当たりのない顔だ。

土堤を上りきると、男が近づいてきて言った。

「道警の仙道警部補でしょうか？」

仙道はうなずいた。

「ええ。どちらでしたっけ？」

歳は四十代後半、と仙道はあたりをつけた。職業は、現業系か。顔は陽に灼けており、皺《しわ》が深かった。ヘビースモーカーなのだろう。肌は荒れている。少し痩せた男だった。

男は言った。

「宮内と言います。じつは、白石《しろいし》署の田辺刑事さんから、仙道さんのことを紹介してもらいました」

「田辺なら知っています。彼が、何か？」

「ええ。仙道さんなら、何か力になってくれるかもしれない。相談してみたらと言われました」

「どんな件です？」

宮内は、唇を噛み、苦しげな表情を見せてから、言いにくそうに口にした。

「娘を探して欲しいんです。殺されたのかもしれません」

仙道は、驚いて訊《き》き返した。

「田辺が、そう言っていたのですか」

「ええ。そういう意味のことを」

「殺されたと？」

「最悪の場合を覚悟しておいたほうがよいかもしれませんと。じつは、娘がいなくなってから、捜索願いを出していたんですが、最近になって、娘の持ち物が見つかりました。田辺さんは、最初は遠回しに、犯罪に巻き込まれた可能性があると言っていましたが」

「犯罪の可能性があるなら、警察が動きます。ましてや殺人と想定できる事件なら。田辺は、わたしに相談しろと言ったのですか？　警察にではなく」

「そうです」

「田辺はどうしてそんなことを言ったのだろう。彼は、事件を把握しているんですか」

「はっきりとは言ってくれません。でも、殺人事件だとにらんでいるはずです」

「では、警察にまかせましょう。白石署の管轄なんですね」

「何人かの刑事さんが、聞き込みにあたってくれていますが、本格的な捜査ではないようです。田辺さんは、捜査本部は置かれていないと言っていました」

捜査本部は置かれていない？　ということは、白石署も道警本部も、そこに事件性を見てはいないことになるが。

仙道は確認した。

「娘さんの持ち物が見つかったとのことですが、どんなものが、どこから見つかったんです？」

「娘のハンドバッグが、婦女暴行犯の部屋で見つかったんです」

最近、ニュースでそのような事件について聞いたような気がする。いま仙道は、意識して現実に起こる事件や警察活動には接触しないようにしているが、しかし新聞やテレビのニュースはいやでも目に入ってくるのだ。

「その男が、娘さんを殺したと自供したのですか?」

「いいえ」と宮内は頭を振った。「犯人らしき男は、死にました」

「死んだ?」

思い出した。三、四週間前の、白石署が連続暴行犯を取り逃がした一件だ。容疑者は、逮捕に向かった警察官を尻目に自宅から逃走、直後、幹線道路を横切ろうとして、大型トラックにはねられ、死んだのだ。その後、部屋からは男の余罪を示唆する多くの品が出てきたのではなかったろうか。

仙道は言葉を選びながら言った。

「あの事件ならば、やはり警察にまかせておいてよいかと思いますよ。捜査は始まっているはずです」

「ところが、田辺さんのお話だと、娘が死んだかどうかも確認できていない。ただその犯人と接点があったとわかっただけだそうです。遺体もない以上、殺人事件と断定して捜査する状況にはないと聞きました」

たしかに遺体がなければ、よっぽどの物証でもないかぎり、警察は殺人事件としては動きにくい。ましてや容疑者がすでに死んでいる事件となれば。あのケースでは、強力な物証か、関係者の供述などは出ていないのだろうか。

仙道は訊いた。

「娘さんは、おひとりで暮らしていたんですか？」

「うちを出ていました。うちは名寄《なよろ》なんです」北海道の北部の小都市だ。「娘は高校を出ると、札幌でひとり暮らしをしていました」

「お歳は？」

「二十三。娘の借りていた部屋には、家財道具がそっくり残っていました。旅行に出たり、引っ越した様子もありません。ある日突然、失踪したんです」

「死んだ暴行犯と娘さんが、つきあっていたってことはないのですか？」

「ないと思います。娘の友達にも聞いてみましたが、恋人がいた様子もなかったと」

「男の部屋には、ハンドバッグが残っていたと言いましたか？」

「ええ。田辺さんから、実物を見せてもらいました。財布には、娘の写真が入っていたし、キャッシュ・カードとか、レンタルビデオ屋のカードがあった。娘のものにまちがいないでしょう」

「キャッシュ・カードは、失踪後も使われていましたか？」

「一回だけ、引き出そうとした記録が残っていたそうです。暗証番号がちがうので、引き出せなかったそうですが」

なるほど、事件性は濃厚だ。しかし、死んだ男への直接の容疑は連続婦女暴行で殺人事件ではない。となると、その男の部屋に失踪した女性のキャッシュ・カードが残っていたとしても、捜査はさほど徹底したものにはならないかもしれない。所轄刑事課長の判断となるが、担当捜査員が指名される程度で終わることはありうる。型通りの捜査が行われて、それで手がかりが見つからなければ、その時点で捜査は終了ではないだろうか。

宮内が、不安そうに仙道を見つめている。

仙道は訊いた。

「田辺は、どうしてわたしに相談するように言ったんでしょう。捜査の際、被害者家族が誰か捜査員を指名することなどできないんです」

「わかってます」と宮内はうなずいた。「田辺さんは言ったんです。仙道さんなら、いま休職中だから、自由に動けるって」

休職中だから。

仙道は苦笑した。たしかにいま自分は、医師から抑鬱性の感情不安定を指摘され、休職を命じられている。四週間に一度医師の診断を受けつつ、精神面の健康回復を待っている状態なのだ。職場に行く義務はないから、たしかに自由に動ける時間はある。だが、それは私人としてだ。警察官として何かができる立場ではない。もしこの宮内という男が期待しているのが、何らかの捜査活動であるというのなら、自分には何もできない。もっとも、この半年のあいだに、犯罪に巻き込まれた市民から相談を受けたことはある。どちらのときも、多少の経験と勘を生かして、担当の捜査員に捜査の方向について助言することだけはやってきたが。

それにしても。

仙道は言った。

「警察が捜査にかかっていないのだとしたら、田辺の言いかたがどうであれ、事件性はないと判断されているのかもしれません。興信所のようなところに捜索を頼むのがよいかもしれない」

「頼みました」と宮内が言った。目がかすかに赤くなってきている。「失踪がわかってから、四十万円払って探してもらいました。だけど、手がかりはなしです。わたしには、もうこれ以上出せるお金はありません」

仙道たちの脇を、初老のジョガーが通っていった。彼もきょうのジョギングを切り上げたのだろう。その男は、信号を無視して、車の途切れた堤防通りを渡っていった。仙道も、汗が冷えてきたのを意識した。少し立ち話が長くなったようだ。

仙道は、話を打ち切るつもりで言った。

「もう少し待ってみてはどうでしょう？　若い娘さんなんだし、多少は冒険もするのかもしれない」

仙道の言葉の意味を察したのだろう。宮内は、あわてた様子で言った。

「いや、待ってはいられないんです。最初に言いましたが、わたしは娘は殺されたのではないかと思ってます。このままでは、娘は浮かばれない。娘の遺体を、なんとか早く見つけたいんです」

仙道は、気休めを口にした。

「娘さんは、どこかお友達のところですよ。そのお年頃なら、珍しいことじゃない」

宮内は、仙道の言葉が耳に入らないかのように、強い調子で言った。

「娘は、風俗で働いていたんです。夫婦仲のよくないうちを嫌って家出して、そうやって生きていた。わたしは、このまま娘のことを放っておくわけにはゆかんのです」

宮内の目には、激しい悔悟と、自分自身へと向けられた怒りがあった。仙道は、その目の色に、たじろぐ想いだった。そのまま立ち去ろうという意志が消えた。

仙道は言った。

「わかりました。田辺がわたしの名前を出したんなら、お話だけは伺いましょうか。わたしが何かお力になれるとは、とても思えないのですが」

宮内の顔に、安堵が浮かんだ。


仙道は、河川敷の公園から近い自分の部屋に戻ってシャワーを浴びた。部屋は築二十年というビルの最上階にあって、豊平川とその向こうに広がる札幌東部地区を眺めることができる。ガランとした広いワンルームで、以前は建築家が仕事場にしていたという部屋だ。ろくにひとをなごませるような調度は入っていないから、この部屋に宮内を招《よ》び入れることはできなかった。椅子のスペアもないのだ。いま宮内には、ビルの前で待ってもらっている。

ジャケットを羽織ってから、仙道は携帯電話を開いて、アドレス帳からひとつの番号を呼び出した。

「しばらく」と声が返った。

白石署刑事課の田辺浩巡査部長だ。仙道とは、北海道南部の小都市で、二年ほど同僚だったことがある。仙道よりも五歳ほど年長の、不器用な刑事だ。

田辺はざっくばらんな調子で言った。

「宮内さんと、会った？」

「いま会ったところです」仙道は答えた。「詳しい話はこれから聞かせてもらうんですが、ふたつみっつ情報をください」

「待って。いま、電波のいいところに移る」

田辺はいま、刑事部屋にいるのだろう。他人の耳のある場所から離れたいということだ。

ほどなくして、田辺が言った。

「いいよ」

「この事件、例の連続婦女暴行犯がらみなんですね？」

「そうなんだ。知ってる？」

「いいえ。このところ、役所の関係者とはほとんどつきあいもなくて、新聞で読んだ以上のことは」

役所、というのは、北海道警察本部のことだ。仙道たち道警職員は、自分の所属する組織をこう呼ぶことが多い。

「あの暴行犯の部屋から、怪しい証拠物件が山ほど出てきたんだ。そのひとつが、宮内由美って女の子の財布とかキャッシュ・カード」

　連続暴行犯は、高田峰矢という二十六歳の男だった。大学生のときにも一度、東京で強姦罪で逮捕されている。懲役四年の実刑判決。一年前に刑期を終えて出所していた。

　この高田は出所後、なぜか札幌に移り住んだ。

　いっぽう半年ほど前から、札幌の東部地区では、婦女暴行事件が続くようになった。単身者用ワンルーム・マンションの上層階に住む女性が狙われた。上層階に住む女性たちは、ベランダの窓の施錠をしないことが多い。高田は排水管を伝って女性の部屋に侵入、ナイフを突きつけて、女性を暴行していた。管内の警察署が届けを受けた被害だけで、高田の犯行と思えるものが三件あった。

　白石署管内の暴行事件については、田辺も捜査員としてこれを担当した。暴行犯の排水管を伝うという手口も大胆であるし、侵入時にはストッキングをかぶって、手袋をはめていた。どの事件でも、指紋などの証拠は残していないし、ろくに遺留品もない。そうとうに犯罪慣れした男が犯人だと判断できた。

　ひと月少し前、二十一歳の女性の拉致未遂事件が発覚した。このとき、男はわずかに指紋を残した。風貌も判明した。芸能人のようなイケメンだったという。その結果、逮捕歴のある高田峰矢が被疑者として浮上した。

　田辺たちは、彼がいま札幌市内に住んでいることを突き止めた。そうして二十日前、逮捕状を取って高田の住居を急襲したのだ。高田は白石区のはずれ、倉庫とガレージのある二階建ての小さな建物に住んでいた。

「ガレージが別棟にあった」と田辺は言った。「逮捕に向かったとき、やつは母屋のほうではなく、ガレージにいたんだ。おれたちの到着を見て、やつはすぐにガレージの裏手からブロック塀を飛び越えて逃げた。まったく、あれはひどいドジだった」

このとき、田辺を含めた捜査員たちが懸命に高田を追った。高田は裏道を二百メートルほど走った後、札幌新道という交通量の多い幹線道に飛び出した。そこに大型トラックが突っ込んできた。高田は田辺の見ている前で、十メートルは吹っ飛んだという。即死だった。

田辺はつけ加えた。

「あの狼狽ぶりには、こっちも面食らった。部屋を調べてみて、無理もなかったとわかったよ」

「部屋に、宮内由美の遺留品があったんですね」

「ああ。ガレージが、監禁部屋になっていたんだ。鎖やら手錠やら鞭やら、責め道具がわんさとあった。ハンドバッグも見つかった。キャッシュ・カードから、捜索願いの出ていた宮内由美のものだとわかって、刑事たちは色めきたったけど、遅すぎた」

「監禁王子事件を思い出しますね。あれも札幌だった」

あの事件も、やはり若い男が女性を監禁したというものだった。テレビなどは、あの事件のナルシストっぽい犯人に、監禁王子とあだ名をつけたのだ。

「あれは、江別の事件だ」と田辺が訂正した。

「事実上、札幌じゃありませんか」

「似てることは似てる。高田も影響を受けたのかもしれない」

「高田は模倣犯と言ってもいいくらいだ」

「監禁王子は、ひとは殺していない」

「監禁王子を超えたのかな。宮内由美殺害は濃厚だということでしょうね？」

「そうだ。だけど、住居《ヤサ》からは殺害の直接証拠は出ていない。血痕も検出されなかった。状況証拠だけさ」

「宮内由美殺害ということで、捜査本部は作られなかったんですか？」

「いや。遺体が出ていないんだ。それに本部は、この二年だけで未解決の捜査本部を四つ抱えてるし、状況証拠だけで新しく作るのは無理らしい。殺害のはっきりした証拠が出てくればともかく。ただし」

何か重要な話が続くようだ。仙道は携帯電話を耳に当て直した。

「宮内由美が失踪して三日目に、高田の持ってる車が、Ｎシステムに引っかかってる。やつは、石狩国道で厚田に向かってるんだ」

かつての厚田村、いまの石狩市厚田区は、札幌の北方にある小さな町だ。日本海に面しており、夏になると札幌からも海水浴客がよく訪れる。町の背後は、暑寒別《しょかんべつ》山系につながる深い山地だった。

田辺は続けた。

「高田は遺体を運んだんだろう。二度、機動隊を出して厚田を捜索した。海岸沿いと、道路沿いの崖なんかを。何も見つからなかった」

捜査本部は設置されないまでも、そこまでのことはやっていたのだ。白石署と道警本部は、宮内由美の失踪を事実上の殺人事件と判断しているということになる。

「宮内の父親には、そのことは話しました？」

「厚田の地名は出していない。高田の行動半径を機動隊を出して捜索した、とは伝えた」

「これから親爺さんの話を聞くんです。厚田の地名、出していいですか」

「ぼかしておいてくれたほうがいいな」

「高田峰矢に関する捜査報告書は出来てますか？」

「ああ。中間報告はある」

「見せてもらえますか」

「無茶言うなよ。いくらあんたが警官でも」それでも田辺は言い添えた。「知っている範囲で教えてやるよ。きょう、署の近くで会えるか」

「後ほど、電話します」

仙道は携帯電話を切った。

大事なことがわかった。遺体はどうやら、厚田方面のどこかに運ばれ捨てられたのだ。機動隊が二度捜索しているというから、白石署はNシステムそのほかの情報から、その範囲をかなり絞りこんでいるのだと判断できる。ただ、それ以上の捜索をおこなう余裕がないだけだ。

腕時計を見た。宮内をずいぶん待たせてしまった。

宮内の車は、古い軽乗用車だった。きょうはこのあと、名寄までこの車で走るのだという。

仙道は助手席に乗ると、近くの大型パチンコ店へ向かうよう頼んだ。そこで話を聞くと。

パチンコ屋？　と宮内がいぶかったので、仙道は弁解した。自分は喫茶店が苦手なのだと。かといって、ひとの耳をはばかる話題でもあるのだし、公共のスペースよりも車の中で話したほうがいい。それには、広い駐車場のあるパチンコ屋に向かうのが好都合だった。道は自分が指示する。

宮内は納得した。

車を発進させてから、宮内が言った。

「娘の由美は、高校を出ると、逃げるようにして札幌に出たんです。暗い家には耐えられなかったんでしょう。就職先も決めないで、とにかく高校の先輩を頼っての家出だったんです。そのときはわたしも、娘は家にはいないほうがいいと思ってました」

仙道は訊いた。

「五年前ということになりますか？」

「そうです。最初はお菓子工場のパートの仕事に就いていたらしい。その年末に帰って来たんですがね。正月から言い争うわたしたち親を見て、一日の朝にはまた札幌に戻っていった。たぶん、風俗に勤めるようになったのは、そのあとからです」

「宮内さんは、仕事のことは知らなかった？」

「女房から、水商売に移ったとは聞いていていました」

「風俗の仕事に就いていたと知ったのは、いつです？」

「最近です。興信所に頼んだら、娘が勤めていたという店は、風俗営業だったと。わたしは……」突然に宮内の声が裏返った。「何にも知らなかった。娘がそんなふうにすさんでいたなんて」

仙道は横目で宮内を見た。彼の目には、涙があふれている。

仙道は訊いた。

「奥さんとの不和の理由は、何です？」

宮内は答えた。

「わたしが、古すぎる男だってことです。女房を大事にしなかった。黙って亭主の言うことを聞けばいいというのが信念だった。でも、娘たちが成長するにつれて、女房のほうも自分を主張するようになっていったんです。やがてぶつかり合うようになって」

「奥さんがぶつかってくるぐらいなら、宮内さんはけっして古い男性じゃありませんよ」

「娘たちは、そうは思っていないでしょう」

娘は三人いて、上のふたりはとうに嫁いだという。少し歳の離れた末娘が、由美なのだとのことだった。

運転しながら、宮内がジャケットの胸ポケットから、一葉の写真を取り出した。仙道はその写真を受け取って見つめた。若い女が写っている。夏っぽいシャツ姿のバストショットだ。

「去年、由美が送ってきたものです。じつを言うと、わたしは丸二年、娘とは会っていないんです」

写真の娘は、髪を茶色に染めていた。カメラを真正面から見つめて微笑している。顔だちは細面で、目が大きく、口の輪郭は柔らかげだ。派手な造作ではない。可愛い部類の容貌と言っていいだろう。若い警官たちなら、携帯電話の番号を聞き出したくなるかもしれない。ただしその笑みは、どこか哀しげにも見える。いくらか無理をしているかのような、思い出せない表情を作るのに努力しているかのような。その印象はもしかすると、仙道が、すでに彼女を殺人事件の被害者と知ってしまったせいかもしれないが。

仙道が写真を返すと、宮内は言った。

「田辺さんたちが娘のハンドバッグを持ってうちにやってきたときから、女房は寝込んでしまいました。女房とは、由美はわりあい頻繁に連絡を取っていたようなんです。だから、失踪もすぐわかった。女房が札幌まで様子を見にいって、おかしいと警察に届けることができたんです」

「興信所に頼んだのは？」

「警察に捜索願いを出したあとです。娘と連絡が取れなくなってから、二週間目くらいでした」

最初、宮内由美の母も、娘が働いていたのは単に薄野《すすきの》にいくつもの店を持つ酒場チェーンだと思っていた。部屋に残っていた名刺からその会社に電話してみたが、娘が具体的になんという店で働いているのかは教えてもらえなかった。その日によって出勤する店がちがうのだと言われたという。会社のほうでもとつぜん連絡が取れなくなって、心配しているとのことだった。

いったん母親は名寄に帰ってきたが、つぎに宮内自身が札幌に出て部屋の様子を確かめ、興信所に相談した。

一週間後、最初の簡単な報告書が宮内のもとに届いた。このとき宮内たちは初めて、娘は風俗営業の店で働いていたと知ったのだった。もっとも、宮内には風俗営業のサービスがどんなものか、具体的な知識はなかった。興信所の担当者が、風俗営業と水商売とのサービスのちがいを教えてくれた。宮内は、激しい衝撃を受けて、その日は眠れなかったという。

さらに一週間後、新しい報告書が届いた。興信所は、店の関係者数人にあたって、娘の交遊関係や私生活について、より詳しいところを教えてくれたのだ。その交遊関係の中にも、娘の失踪の事情を知っている者はいなかった。娘は、初秋の札幌の深夜、勤めを終えた後に忽然《こつぜん》と消えたのだった。

興信所の調査費用は、そこまででほぼ四十万円だった。宮内には、それ以上のカネを出す余裕はなかった。二通の報告書をもって、興信所の調査は終わった。

「その二日後です」と宮内は言った。「札幌白石署の田辺さんたちが、うちにやってきたんです。娘のハンドバッグを持ってきました。中には、財布とか、手帳、化粧道具の他に女房が最近書いた手紙も入っていました。警察は、娘に捜索願いが出ていたことを知って、確認にきてくれたんです」

「田辺は、どういう事情だと言っていました?」

「死んだ婦女暴行犯の部屋で見つけた、と言っていました。娘がその部屋にいたことは確実だろうと。男がどんなやつかも教えられて、わたしはもう」

宮内は言葉が続かなかった。

仙道はまた宮内の横顔に目をやった。喉が小さく震えていた。

仙道は、適切な言葉を探すこともできないままに言った。

「ひどい事件に巻き込まれたようですね。まだ断定できるわけじゃありませんが」

「もう、あきらめはついています。何があったか、想像はつきます。その鬼畜野郎に殺されて、どこかに捨てられたんです」

「警察も、懸命に捜索しているはずです」

「まかせきりにはできない。田辺さんが仙道さんに相談しろと勧めてくれたのも、そういうことなんじゃないですか？」

仙道が黙っていると、宮内はとうとう感情をコントロールできなくなったかのような声で言った。

「葬式だけはきちんと出してやりたい。どんな姿になっていてもいい。娘を見つけたいんです」

仙道は、宮内の左腕を軽く叩いて言った。

「わかります。できるだけのことはしましょう。興信所の報告書を見せていただけますか？」

「うしろの鞄の中に入っています。役に立ちますか」

「手がかりがあるかもしれない。娘さんの写真も、できたらコピーさせていただければ」

「はい。あの」

「なんです？」

「謝礼はどれくらいなんでしょう？　初めに聞いておかないと、お支払いできないかもしれない」

仙道は言った。

「謝礼なんて要りません。休職中ですが、わたしも警官です。警察の捜査を、横から支援するというだけですから」

「いろいろおカネもかかるでしょうに」

「田辺に請求しますよ」

宮内は仙道に目を向けて、少しだけ微笑した。冗談を言ってもらってよかったと、感謝しているような表情だった。

札幌でも一、二の広さだというそのパチンコ屋の駐車場に車を停めてもらった。

仙道は助手席で、興信所の報告書にざっと目を通した。報告書は、宮内由美の私生活と交遊関係について、主に勤め先の関係者から話を聞いていた。報告書を読むかぎり、聞いた相手の半分とは直接には会っていないようだ。電話でのやりとりだけだろうと想像がついた。

報告書では、宮内由美は二年前にアパートを移っていた。それまでは白石区にあるワンルームのアパート住まいだったようだ。二年前に、同じ白石区内ながら、いくらか広いエレベーター付きの集合住宅に移ったのだ。

交遊関係は、地味であったようだ。高校時代の同級生とも、つきあっていた形跡がまったくない。つきあっているのは、勤め先の何人かの女性だけ。それも、お互いの出身地以外はろくに個人情報を明かすこともないつきあいだったようだ。

男の影もない。由美は高校卒業以来、ただのひとりの男ともつきあったことはないようだ。少なくとも、興信所の調査に引っかかるほどの深いつきあい、あるいは長いつきあいをした男はいない。同棲した形跡もなしだった。

調査のこの部分には、仙道は素直にうなずけなかった。若い女性が風俗営業に飛び込むには、なんらかの性体験の飛躍が必要になる。家庭不和を嫌って、という理由だけで、いまどきの娘がいきなり風俗営業の門を叩くことはないのだ。

家出同様に実家を出たその時期に、たぶん由美の人生には男が現れたはずである。

失踪時勤めていた風俗営業のチェーン店は、ふたつめだった。住まいを移った後に、勤め先も変えていたのだ。報告書はとくに書いていないが、仙道にはその移った先の風俗チェーンの名には聞き覚えがあった。わりあいいい料金を取るチェーンで、サービスも過激という評判があったはずだ。由美は少しずつその仕事にも慣れていったのだろう。

ファッションについては、さほど派手好きではなかったようだ。職場関係者の話では、むしろあえて地味なものを身につけていたようだという。職業を隠すという意識があったのかもしれない。

ただし店の同僚が、由美は年に二、三回は東京に旅行していると証言していた。東京ディズニーランドの土産を買ってきて同僚に配ったこともあった。あるとき、東京で誰かと会ったのかとその同僚が訊くと、由美は答えたという。ホスト・クラブで散財してきたのだと。それが事実かどうかは、報告書は判断していない。

いずれにせよ、と仙道は思った。この娘も、この数年のあいだにやはり着実に成長し、大人になっていたようだ。

読み終えて顔を上げると、宮内が運転席で仙道を見つめていた。感想を訊いている顔だ。

仙道は言った。

「犯罪に巻き込まれるような生活には見えませんね。堅実だし、浮ついていない。妙な男が周囲にいたようでもない」

宮内が言った。

「まったく、どうしてあんなやつの手にかかってしまったんでしょうね」

「いまの犯罪は、行き当たりばったりということが多いんです。犯人と被害者とのあいだに何の関係もつながりもない場合が。被害者のほうに何の落ち度がなくても、巻き込まれる」

「娘の行方、わかりそうですか」

「この報告だけでは、見当をつけることは難しい。問題は、死んだ男との接点と、男の行動パターンでしょうね」

「仙道さんなら、それを調べることができる？」

「なんとも言えません。正直なところ、警察組織ができる以上のことがやれるとも思わないんです。でも、興信所以上のことは調べられるし、田辺たちには見えないものも、休職中のわたしには見えるかもしれない」

宮内は運転席で深々と頭を下げた。

「よろしくお願いします」


店は開いたばかりだった。ほかに客はひとりもいない。ハードウッドのフロアを、若い男がモップで拭いているところだった。カウンターの中には愛想のないバーテンダーがいて、ちらりと仙道に顔を向けてくる。

一見《いちげん》だよ、という意味をこめて、仙道は首を傾《かし》げた。飲ませてもらえるかな？

バーテンダーは、お好きな席にどうぞ、と店内を示した。仙道も中を見渡した。全体に黒っぽい内装の店だ。年配の酒飲みよりも、若いカップルがよく利用していそうな店に見えた。田辺がこのような店を待ち合わせに指定してくるとは意外だった。仙道は、窓際のもっとも奥まった位置にあるテーブル席に着いた。

仙道の記憶では、田辺浩巡査部長はいつも胃痛を抱えているような表情をしていた。うっかり酔って繁華街を歩いたら、オヤジ狩りの対象になりそうな印象がある中年男だった。しかし、現場を観る目の確かさは、そのころから評価が高かった。

ビールをグラスでもらって口をつけたところに、田辺が現れた。仙道の記憶そのままの、寝癖のついたような髪に冴えないジャケット姿だった。

田辺が正面の椅子に腰を下ろした。型通りのあいさつのあと、仙道は言った。

「田辺さんがこんな店にくるとは、意外ですよ」

田辺はうなずいた。

「おれもそう思う。だけど、防犯協力を頼まれている。ありがたいことに、ここにはうちのがさつな刑事たちがこない。きょうのような話をするにはいい」

田辺はバーテンダーにビールを頼んでから言った。

「宮内の親爺さん、どうだった？」

仙道は言った。

「ちょっと気の毒になりましたよ。娘想いなのに」

「娘がすさむのは、必ずしも父親のせいばかりじゃないさ」

仙道は宮内から預かった興信所の報告書をテーブルの上に置いて言った。

「要するに、遺体探しなんですね？」

「そう。もう生きてはいない。殺されたのは確実だ」

「証拠は？」

「血だ。男のワンボックス・カーから検出。宮内由美のものだ。親爺さんには言っていないが」

「致死量？」

「いや」

「殺害場所は？」

「まずまちがいなく男のガレージ。宮内由美は、拉致されて、監禁されたんだ」

「そもそもどんな男なんですか？　高田峰矢ってのは」

「色情狂だ」と、田辺は顔をしかめて言った。「二十歳のころに一件やっているらしいが、これは示談になったようだ。二十一のときにも東京で婦女暴行と傷害。これで四年の実刑。刑務所を出てから札幌にきて、この半年弱のあいだに住居侵入と婦女暴行を少なくとも三件。拉致未遂があって、面が割れた。そこで住居侵入をやめたようだ。宮内由美は、高田の新しいやり口の被害者になった」

「新しいというと？」

「だから、拉致、監禁、暴行だ」

田辺は、死んだ高田峰矢がどんな男であったか、調べがついていることについて話してくれた。

高田は、道南・函館市の資産家の息子なのだという。父親は函館市内で、運輸、産業廃棄物処理、古物商、不動産管理など手広く事業をおこなっている。高田は小さいころから、甘やかされて育ったらしい。

刑務所を出た後、高田はいったん函館に帰り、今年の春に札幌に移り住んだ。古物商の免許を取り、中古楽器、中古オーディオ機器などの売買を始めたのだ。主にインターネット上での商売だったという。事業資金は父親が出し、高田は白石区の北はずれ、軽産業エリアに事務所・倉庫兼住宅を構えた。ただしその事業自体は、繁盛していたようではない。名目上のビジネスだったのかもしれない。高田は父親の経営する会社の役員として、月々役員報酬も受けていたのだ。生活には困っていなかった。

いっぽうで、高田はひとり暮らしの女性を狙う住居侵入と暴行を繰り返すようになった。ワンルーム・タイプの集合住宅の上層階に、排水管を伝って侵入しては、ひとり暮らしの女性を襲ったのだ。

そこまで聞いて、仙道は言った。

「出所後、いきなりやり口がプロ並みになってますね。急成長だ」

田辺は同意した。

「おそらく刑務所で教えられた手口だ。だけどこの野郎、三カ月前に未遂事件を起こして以来、この手口さえ卒業するんだ」

「それ以来、拉致、監禁なんですね？」

「そう、鬼畜レベルの性犯罪者になった」

「被害者は、宮内由美ひとり？」

「じつは、疑われる失踪者がもうひとりいる。三カ月前に、東区内に住むウエイトレスが行方不明になっている。深夜十二時過ぎ、コンビニから出たあと、消えた。写真を見ると、宮内由美にもちょっと似た美人だ。この件は東署が担当している」

「被害者は、行き当たりばったり？」

「未遂事件の被害者は、高田を知っていた。一度、ビデオ屋からあとをつけられたことがあると」

田辺は、ジャケットの胸ポケットから写真を取り出して、テーブルの上に置いた。若い男の正面からの写真だ。

二十一歳で逮捕されたときのものだ、と田辺は言った。若手アイドルふうの長髪で、顔だちも甘い。自分の容貌に自信があるのだろうと思わせる表情だった。

田辺が言った。

「身長百八十。体重は七十五前後。高校を卒業したあと東京に出て、なんとかいう芸能プロダクションにも所属したことがある」

「芸能人だったんですか?」

「カネを出せば登録してやるってところだったんだろう」

仙道は訊いた。

「宮内由美の監禁場所は、ガレージと言っていましたね。そのために建てたものですか」

「いや。小さな会社が事務所として使っていたところだ。ガレージの中が改装されていた。業者には、音楽を鳴らすのでと説明していたらしい。バス・トイレ付きだった」

「観ることは可能ですか?」

「駄目だ。まだ立ち入り禁止だ」

「では、徹底捜索はされているんですね? 遺体は、敷地内にはなかった?」

「なかった。埋めたような痕跡はない」

「厚田を捜索した根拠は?」

「Nシステム」と田辺は答えた。「あれだけだ」

田辺は説明してくれた。通行する自動車を片っ端から記録するNシステムを調べると、宮内由美の失踪から三日目、高田の車が国道二三一、通称石狩国道を通って厚田に入ったことがわかった。高田の車は、同じ日の二時間十分後に、同じ道を引き返している。宮内由美の失踪後、高田の車が札幌を出たのはこの日だけだ。遺体を捨てに郊外に走ったのではないかと推測された。二時間十分後に同じ道を引き返したとなると、考えられることはふたつだ。Nシステム設置位置からさほど遠くない場所に死体を埋めたか、あるいは、そこからさらに車で一時間ほど走った場所に、無造作に捨てたか。

ウエイトレス失踪後のNシステムの記録も洗われた。高田は宮内由美が失踪するまでのあいだに、厚田方面を含め、小樽、江別や夕張と、何カ所にも遠出している。このときも厚田方面に遠出していることが注目された。

白石署は、道警本部と協議し、機動隊一小隊を二度に分けて動員、厚田の海岸線や、林道奥の崖、沢筋を捜索した。しかし遺体はみつからなかった。

仙道は訊いた。

「高田がそもそも札幌にやってきた理由は何です？　土地勘もないところなんでしょう？」

「これが皆目理由がわからん。函館の地元にはいづらかったろうが」

「だとしても、そういう男なら、大都会に出そうな気がします。東京にいた時期もあったんでしょう」

「やつの監禁部屋を見たとき、目的はこれだったのかなとも思ったな。監禁王子を真似るためさ。

監禁王子は、高田のヒーローだったのかもしれない。札幌ぐらいの都会となれば、ターゲットにできる女も多い。秘密の部屋を持つのだって、東京より簡単だ」

「でも、拉致と監禁が狙いだとしたら、最初は住居侵入を繰り返していたのが逆に奇妙だ」

「おれの推理はこうだ。やつは刑務所で、同じような犯罪者から住居侵入の手口を教えられた。札幌にやってきてそれを一度試すと成功したんだ。犯罪者は、一度成功すると、味をしめて繰り返すようになる。三度目まではそれだ。失敗してから、最初の予定通り、本格的に監禁のための準備を始め、標的を探し出した」

「そのひとりが、宮内由美ですか？」

「そういうことだろう」

「事前に知り合っていた可能性は？」

「いや。高田の携帯には、宮内由美の番号は登録されていなかった。発信記録もなかった。目をつけていたんだろうが、面識はなかったと思う」

「それで、白石署はこの一件をこれからどう扱うんです？」

田辺は仙道の正面で、背を伸ばしてから言った。

「おれとしては、たとえ被疑者死亡であろうと、こいつを送検したい。書類送検して、きちんとこいつのやったことを記録に残したい。新聞発表もして、こんな鬼畜がいたんだと知らしめてやりたい」

田辺は真顔だ。目には真摯《しんし》な熱が感じられた。どこか宮内にも通じる誠実さと実直さ。この稼業では、周りにはなかなか見いだしにくくなる男の気質。

　田辺は続けた。

「だけど上のほうは、もうこれ以上捜査員を投入するつもりはないらしい。だから、宮内の親爺さんには、あんたの名前を出したんだ」

「休職中の身で、何ができます？」

「もう何もするなと指示された私服よりも、できることは多いさ」

「どうでしょうか」

「高田の行動範囲の中に、遺体がある。それも、ひょっとしたらふたつだ。高田の行動範囲を絞ってゆくことは、足があればできる。組織で動かなくても」

　仙道は首を振りながら、グラスに手を伸ばした。


　翌朝、仙道が高田の借りていた住居前に車を停めたのは、午前十時過ぎだった。米里北工業団地に近い軽産業エリアで、田辺から教えられていたとおり、周辺には建設会社や土木関連の事業所が多かった。道央自動車道の札幌インターも近いせいか、大型トラックが制限速度無視で行き交う殺風景な場所だ。

　高田の監禁部屋があるのは、そのエリアでもかなり小規模の事業所が集まる一角だった。住宅と見える建物もある。住宅兼用の事業所住宅も多いようだ。

　そこには、二階建ての小さな建物がひと棟ある。外観から判断すると、一階が倉庫で、二階が住宅もしくは事務所部分らしい。

その二階屋横の駐車スペースの奥に、スチール製のガレージが建っていた。ガレージのシャッターは下りている。シャッターの上に、仙道には意味不明の欧文とカタカナが記されていた。高田のビジネスの商号なのだろう。敷地と歩道の境界には、北海道警察の文字がプリントされた黄色いテープが渡されていた。

テープの外に立って中を眺めた。敷地全体は百坪前後の広さといったところか。

なるほど、この場に立てば、住人はまず確実に二階屋のほうにいると想像できる。ガレージのほうの警戒が薄くなるのはやむをえなかったかもしれない。それにしても、裏手に警察官を配置しなかったのは、捜査指揮のミスだ。まだ殺人容疑はかかっていなかったとはいえ、容疑者を逃がさない最低限のことはやっておくべきだった。一介の捜査員の田辺には責任のないことであるが。

建物の隙間《すきま》から、裏手を見た。裏手にはブロック塀があって、その向こう側に、別の事業所の施設が建っている。大型の倉庫のようだ。つまりこのあたり、左右も含めて、ひとはあまり住んでいない。夜になれば、かなり寂しい場所となることだろう。ひとの目が極端に少なくなるのだ。

ふと振り返ると、仙道の車の後ろに軽自動車が停まるところだった。見ていると、車から黒いパンツスーツ姿の女性が降り立った。四十歳くらいだろうか。仙道にいぶかしげな目を向けてきた。

仙道はこんにちはと声をかけて、女に近づいた。

女が訊いた。

「警察のひとですか？」

ずばり当てられた。自分はやはり、刑事の匂いを強烈に放っているか。それとも、この状況からの類推か。

「そうです」仙道は胸のポケットから名刺を取りだして女に渡した。「例の高田って男のことで、もう少し調べたいものですから」

女は自分の名刺を差し出してきた。不動産管理会社の従業員だ。桜井恵子という名だった。

桜井という女は言った。

「ここの物件を管理しています。きょうは、様子を見に来たんですが」

「中に入るんですか？」

「いいえ。まだ建物の中には入るなと言われています。でも、うちとしても、このままにしておくわけにはゆかないので、ちょっとだけ空気の入れ換えができないかと。いつから立ち入り自由になるんでしょうね」

「わたしも、そのへんのことは知らないのですが。桜井さんは、高田がここを借りたとき担当されたんですか？」

「ええ」と桜井はうなずいた。「四月だったでしょうか。小さな倉庫が付いた事務所を借りたいと話があって、ここをお勧めしました」

「高田が直接やってきたんですか」

「そうです。函館に本社のある会社の支店を出すとのことでした。会社契約ということなので、お手伝いさせていただきました」

そこまで言ってから、桜井は苦笑いした。

「敬語を使うこともなかったですね」

「事件のことはご存じなんですね」

「家宅捜索にも立ち会っています。あの、刑事さん」

仙道が首をかしげると、桜井は眉間に軽く皺を寄せて言った。

「やっぱりここで、殺人があったんですか？　あのとき警察のひとは、はっきり教えてくれなかったんですけど」

「断定はされていませんよ」

「殺人事件の現場なんて、もう誰も借りてくれませんからね。もしそうなら、すぐにでも更地にしたほうがいいでしょうし」

「まだその心配はしなくてもいいと思います」

「そうですか」桜井は、小さく溜め息をついて言った。「婦女暴行なんてするようには見えなかったんですけどね。礼儀正しいし、お洒落だし、おカネは持っていたし」

「ひとあたりはよかったんですか」

「ええ。全然警戒させないひとでしたよ」

「仕事のことは、どんなふうに話していました？」

「中古の楽器を主に扱うネット販売をしてるんだって言ってました。よくわかりませんでしたけど」

「その仕事のために、倉庫とかガレージが必要だってことだったんですね？」

「それと、音楽が趣味なんで、楽器の練習ができるような建物もあればいいって言ってましたね」

「彼は、ここを借りてから、ずっとひとりですか？　従業員は使っていなかった？」

「ひとりのはずです。インターネットを使うんで、人手はいらないんだって言ってました」

「友達なんて、訪ねてきてませんでしたか？」

「それは知りません。ほかの刑事さんたちにも訊かれたけど、高田さんが入居してからは、ほとんどここにはきていませんでしたので」

桜井は建物に目をやった。何かためらっている様子だ。

白石署も警備の警官を置いていない以上、もし現場で事故なり不法侵入があっても問題にはならないと見ているということだ。

仙道は言った。

「ガレージを見るの、立ち会ってもらえますか？」

桜井はうなずいた。

「いいんですか？　正直、空気を入れ換えさせてもらえるだけでも、ありがたいんですが」

「鍵はお持ちですよね」

「スペア・キーを預かってます」

仙道は桜井に微笑して、黄色い阻止テープをくぐった。

その空間は、ガレージという言葉から想像できるようなものではなかった。最初に仙道が思いついたのは、祭壇という言葉だった。

小型のトラックを入れることのできるほどの広さだが、もちろんトラックはない。スチールの壁面の内側に、もうひとつコンパネの貼られた内壁ができている。真正面には誰か外国人ミュージシャンのポスターが貼ってあり、三尺ほどの高さに棚がしつらえられている。棚の上、ポスターの真下の部分には、エレキ・ギターが二本掛けられていた。さらにその左右に、さまざまな種類のガラクタが並んでいた。スパイダーマンの人形、モデルガン、ラジコン・カー、樹脂製のハロウィン用カボチャ、ダースベーダーのヘルメット……中でも、二体の裸の人形と、獣の頭蓋骨がひとつ目についた。全体を見渡すと、そこには完全に左右対称のステージができているように見える。

左手と右手の壁の前には収納棚が作られており、段ボール箱が隙間なく収められている。段ボール箱の中身はわからないが、ただの防音材として並んでいるのかもしれなかった。

ガレージのちょうど中心、ポスターの真正面の梁《はり》から、チェーンが垂れている。チェーンは天井近くの滑車を通じ、壁のハンドルで上下するようにできている。

仙道は訊いた。

「この鎖は、前から？」

桜井は顔をしかめて首を振った。

「いいえ。あとからつけたものでしょう」

彼女も、そのチェーンがどのような目的に使われたものか、想像はついているようだ。

床はコンクリートを流しただけのものだ。仙道は目を凝らして血痕を探したが、とくに見当たらなかった。鑑識班の記したチョークの跡もない。宮内由美殺害の現場はまずまちがいなくここだろうが、外傷ができるような殺害方法ではなかったのかもしれない。

あるいは、この床の上にシートが敷かれるなり、マットが置かれていて、血痕などはそちらについたか。もしそうだとしたなら、それらの品々はやはり証拠品として押収されているはずだ。

右手手前に、コンパネで仕切られた一角があった。のぞいて見ると、そこには簡単なシャワーの設備と水洗トイレがあった。そこだけ床がタイル貼りになっている。

仙道は桜井に確認した。

「このトイレも、高田が作ったものでしょうね？」

「そうです」桜井はうなずいた。「最初はありませんでした。工事のことは聞いていなかったけど、お盆のころに設備業者さんが入ったようです」

お盆のころ。ということは、住居侵入が失敗したあとと考えてよいか。そのころから、高田の犯罪の形態は微妙に変わっていったのだ。

シャワーの脇には、古いタイプのオーディオ装置があった。アンプから出るケーブルの先をたどってゆくと、天井の隅にふたつ、吊り下げ式の小型スピーカーが設置されていた。これも左右対称の位置にある。

仙道はオーディオ装置に近寄って、そばに置いてあるCDを見た。音楽のジャンルについては詳しくないが、ラップと言われるCDばかりのように見えた。すべて黒人グループのCDばかりだ。

拷問具のような品々がいくつもあるかと想像していたが、とくに見当たらない。それらの品も、白石署が押収ずみなのかもしれない。ふと思いついた。高田は、ここでは写真もしくは動画の撮影はしていなかったのだろうか。もちろん性犯罪者のすべてが、必ずしも自分の犯罪の成果を映像で残すわけではない。何をもって成果の証《あかし》とするかも、多様だということだ。それにしても、高田の年齢で、まったく映像に興味がないということも考えにくいのだが。

考えながら部屋の中を見渡していると、横で桜井が言った。

「もういいですか？　事務所のほうも空気を入れ換えたいんですが」

仙道は振り返って言った。

「かまいません。そっちも、立ち会ってください」

高田の住居は、敷地左手の建物の二階にあった。その建物の一階は倉庫だ。倉庫の隅の内階段を上がると、住居だった。本来は事務所として使われていた空間だろう。手前と奥と、ふた部屋に仕切られている。

ガレージとちがい、こちらは生活感がありすぎるほどに雑然と散らかっていた。台所のシンクには鍋や食器類が残ったままだし、スチール製のデスクの上は、書類や郵便物であふれていた。隅に三十二インチほどの薄型テレビ。コミック雑誌や男性向け雑誌が散らばっている。雑誌のうちの一部は、コンビニではひも綴《と》じで売られている種類のものだ。

ギターの雑誌が数多く目についた。ブランドものギターのカタログ雑誌のようなものもある。業務用の資料なのだろう。

奥の部屋には、ダブルサイズのベッド。白いクローゼットがふたつ並んでいた。

畳一枚分ほどもある大きな鏡が目についた。その横には、新聞紙一ページ大のポスター。四人の若い男たちが写っている。アイドル・グループのようだ。しかし、全員の顔にフェルトペンでひげや渦巻きのいたずら描きがある。右から二人目の青年の顔には、さらにダーツの矢が三本刺さっていた。

ポスターの右隅に、このアイドルのグループ名らしい欧文文字が印刷されている。知らない名前だった。

桜井が、ポスターに目を向けながら言った。

「東京にいたころ、プロダクションにスカウトされたって言ってましたよ。ギターが得意だったそうです。でも芸能界がつまらなくなって、グループを離れたんだって言ってました」

仙道は、いたずら描きされたポスターを指さして訊いた。

「この中に、高田がいるのかな」

「いませんよ。それには」桜井はそのグループ名を口にした。口調から察するに、かなりの有名グループということなのだろう。桜井は続けた。「あの男の同期の子が、そのグループのメンバーになったんだって言ってました」

「きっと、この右から二人目がそうなんですね。ライバルなのか」

「こだわりがあるんでしょうね」

デスクにはパソコン本体がなかった。プリンタはあるので、白石署が押収したのだろう。仙道は書類ホルダーやデスクまわりに素早く目をやった。住所録や名刺ホルダー等は見つからなかった。

デスクには写真立てがふたつあって、それぞれに高田本人が写っていた。ひとつはギターを抱えた高田がひとりで写っている。場所はステージの上のようだ。もう一葉は、四十歳ほどの黒っぽい細身のスーツの男と一緒の写真だった。芸能関係者かもしれない。

仙道はその写真立ての端をハンカチで挟んで持ち上げた。スーツの男は、仙道が高校生のころに人気だった若手歌手に似ていた。その歌手の顔だちをいくらか野性的にしたのが、この顔だ。

仙道は写真を桜井に見せて訊いた。

「こっちの男は、誰なんでしょうね？」

桜井は写真をのぞいて言った。

「さあ。知らないタレントさんかしら」

誰であれ、高田にとっては何らかの意味で大事な人物なのだろう。先輩とか、あこがれのミュージシャンとか。

トイレとバスものぞいてみた。汚れていたが、とくに気になるものは見当たらない。少なくとも、と仙道は思った。この住宅のほうは、高田が女を引っかけるための道具としては使われていない。彼はあんがい本気で、中古楽器のネット通販の仕事をしていたのかもしれない。

住宅を出ると、桜井がドアに施錠しながら言った。

「ほんとにここで、殺人事件なんて起こっていませんよね」

仙道は答えた。

「そういう証拠は、たぶん出ていないんだと思います」

幽霊の噂なんか立てられたくない、と桜井は言った。その気持ちはよくわかった。桜井はこの不動産のオーナーに、更地にするよう勧めたほうがよいかもしれない。

田辺浩が、コーヒーの紙コップを持って、仙道のいるテーブル席まで歩いてきた。

午後の一時過ぎだ。高田の事務所兼住宅を見たあと、仙道は田辺にもう一度会いたいと電話をかけたのだ。田辺は、白石署に近いこのショッピング・センターのフードコートを指定してきた。周囲にはコーヒー・ショップからファスト・フードの店、ラーメン屋などが並んでいる。客は子供連れの主婦が多い。ジャケット姿の中年男ふたりは少数派だったが、主婦たちから怪訝《けげん》な視線を向けられるわけでもなかった。営業マンが休憩に使うことも多いのだろう。

仙道は、向かい側に腰を下ろした田辺に言った。

「たまたま不動産屋が空気の入れ換えに来たんですよ。高田の住居、のぞいてきました」

田辺はにやりとして言った。

「たまたまね」

「ほんとうに偶然です。何にも触ってませんから、ご安心を」

「何か見えたものはあるか？　事件に関係ありそうなものは大半押収している。たいしたものは残っていなかったはずだけど」

「拷問具なんてのもあったんでしょうね？」

「段ボールひと箱あった」

「パソコンも押収？」

「した。通信記録、ネットの閲覧履歴を見るためにな。画像も探した」

「画像はあったんでしょうね。直接殺害の証拠になるような」

田辺は音を立ててコーヒーをすすってから首を振った。

「それが、なかった。洋ものの拾い画像はあった。ＳＭ系のハードなものが多かったな。洋もののＤＶＤも、そっち系統中心。ただし市販品だ。非合法のものじゃない」

「この手の犯罪で、画像がないというのは、やや奇妙に感じますが」

「フェチってのは、一般人には想像もつかないくらいに細分化されてる。やつは、画像で興奮するタイプじゃなかったんだろう」

田辺は、奇妙すぎる性癖を持っていた性犯罪者の例を挙げた。それまでとまったく同じ声の大きさだったので、仙道は咳払いして、声量を落とさせた。

田辺はいくらか声をひそめて言った。

「パソコンの中に、音声データがあった。あえぎ声が何種類も録音されていた。演技じゃない悲鳴と聞こえるものもある。ただ、誰の声なのかはわからない。ましてや、これが宮内由美のものだと特定できるものはない。こういう音声データに証拠能力があるかどうかもわからん。高田の性癖を想像する材料にしかならない」

仙道は、ガレージのオーディオ装置を思い出して訊いた。

「マイクや、録音機器はありました？」

「なんとかプレーヤーっていう小さな機械はあったらしい。録音もできるんだとか。そっちのことは、詳しくない」

「やつにとって、画像に代わるものは、なんだったんでしょう？」

「さあ。宮内由美の場合、失踪から三日目には、高田は死体遺棄と思える行動に出ている。写真を撮ったりせずに、すぐ殺したんじゃないだろうか」

「長期の監禁は目的じゃなかった？」

「激しく抵抗されて、やむをえなかったとか」

「もうひとりの失踪ウエイトレスの画像はどうです？」

「パソコンの中には見つかっていない。まだ中身の完全精査は終わってないはずだけど」

「カメラはありました？」

「ギターの見本写真を撮っていたものがあった。そっちのメモリーにも、商品写真しか残っていなかった」

意外に物証の少ない事件ということになる。高田が用心深かったのか、それとも。

仙道の胸の奥を、小さな疑問がよぎった。かたちにも言葉にもならない、黒いもやのような疑問だ。自分は何に疑問を感じたのかさえ、明確には意識できなかった。気がかりがある、という想いだけが残った。

仙道は訊いた。

「交遊関係を洗えば、高田の行動範囲がわかる。そこから死体遺棄現場がわかるということでしたね。そちらのほうの調べはどの程度進んでいるんです？」

「さっぱりだ」田辺は紙コップにプラスチックのスプーンを入れてかきまぜた。「友達はいなかったみたいだ。いま、関連業者とか、一度でも中古品のやりとりがあったような相手をあたっている。ｅメールと携帯電話の記録を見ているんだけど、行動範囲に関わってくるような相手はいないな。厚田方面にも、江別方面にも、夕張方面にも」

「刑務所仲間はどうです？」

職業的な犯罪者にとって、刑務所はしばしば学校の役割を果たしている。刑務所体験が、その犯罪者の後の人生に影響を与える。犯罪の手口であれ、法的知識であれ、刑務所が犯罪者に教えるものは少なくないのだ。ときにはひとのつながりも生まれる。高田の場合はどうだったろう。単純な婦女暴行犯から、秘儀のための部屋を持つ拉致・監禁犯への「成長」に、刑務所仲間がなんらかの影響を与えていないだろうか。

それを口にすると、田辺は言った。

「刑務所仲間までは調べていない」

仙道が腕を組んで黙り込むと、田辺が言った。

「やっぱり捜査本部を置いて、何十人かの捜査員で集中的に調べないと無理かな」

仙道は訊いた。

「交遊関係をですか？」

「仕事関係も。何のあてもないのに、いきなり札幌にやってきたはずはないんだ。何か目的か理由があるはずだ。それがわかれば、やつの行動範囲もわかる。遺体遺棄の現場も絞れる」

「函館の家族には、あたったんですか？」

「高田の遺体を引き取りにきたときに、おれが訊いた。高田は、あの商売をやるには札幌は穴場なんだ、と父親に言っていたそうだ」

「古物商の？」

「中古ギターや楽器、ＡＶ機器のビジネス。ほんとかどうかは知らんが、東京と違ってまだほかの業者に荒らされていないと父親に言って、出資を頼んだそうだ」

「このインターネットの時代に、穴場ってことはないでしょうね」

「単にギターや音楽が好きで、札幌って町に憧れたのかもしれない。どっちみち商売は、趣味程度だったんだ」

「商売相手のリストなんて、いただけませんか？」

「そう言われると思って」田辺はジャケットの胸ポケットから、一枚の紙を取り出した。手書きのメモが記されていた。「高田と三回以上メールか電話のやりとりをした相手だ。そのうちから、事務所か住所が北海道ってものだけを選びだした」

リストには、事業所名、個人名が十二件、記されている。市外局番から始まる固定電話が五件。携帯電話の番号が七件だった。リストのすべてについて、事業所の所在地もしくは個人の居住地が手書きされていた。白石署は、パソコンの中身と携帯電話の記録を丹念に調べ上げたようだ。

田辺は言った。

「もっとひんぱんに電話している相手もいるけど、札幌、北海道の在住者じゃない。そいつらははずした」

仙道は訊いた。

「全部、直接聞き込みずみですか？」

「いや、電話で話しただけの相手もいる」

仙道はリストを見つめながら言った。

「遺体がなくて、被疑者も死亡って事件は初めてです」

「道警のほとんどの私服がそうだろう」

「リスト、お借りします」

田辺がそのフードコートを立ち去ってから、仙道はあらためてリストを検討した。

高田が札幌にくるきっかけとなりそうな商売相手。その業界では有名な古物商とか、函館や東京に支店がある店かもしれない。あるいは、個人的なつながりか。大学や刑務所のつながりが、このリストと重なるということもありえる。しかし、いずれにせよ、リストからはそこまでの関係は読み取れない。ひとつひとつあたって、高田とのつきあいの程度を確かめるしかない。

仙道は田辺の言葉を思い起こした。

友達はいなかったみたいだ……。

白石署は携帯電話の記録も丹念に調べたはずだから、その判断自体はそう誤ってはいまい。しかし高田の年頃の男で、それが現実にありうるだろうか。友達づきあいも、趣味の仲間との交際もなく、ただネットで中古品を売買するだけの生活。いや、ときには自分の歪んだ性的嗜好を満たすために犯罪者となっていたわけだが、それにしてもこの青年の生活は、寒々としすぎている。ほんとうにこんな生活が可能なものだろうか。カネがないわけでもないのに。

高田の住居の様子が思い出された。性癖に合わせて改造されたガレージと、乱雑な居室。そこから想像できる、冷え冷えとした荒《すさ》んだ生活。それを高田は、さほど苦には感じていなかったのか。じっさいそのような感受性の持ち主でなければ、拉致、監禁、婦女暴行を人生の唯一最大の愉しみにはできないのかもしれないのだが。

あの散らかり放題の部屋の中で、唯一ふつうの男性の感受性の発露と思えるものがあった。写真立ての写真だ。おそらくは芸能プロに登録していたころの、本人の写真。自分自身がいちばん輝いていたと思える時代の存在証明。

不動産屋の桜井の言葉を思い出した。

「こだわりがあるんでしょうね」

そのこだわりと、札幌とは結びつくだろうか。

ともあれ、と仙道は立ち上がった。リストを順番にあたってみる以外に、自分がすべきことは思いつかない。田辺たちが一度やったことを、もう一回繰り返してみるしかない。高田の行動範囲を類推できる証言を求めて、ひとつひとつ訪ねてみるしかないだろう。


仙道はコントロール・パネルのデジタル・クロックに目をやった。

午後の二時十五分だ。聞き込みも二日目、昨日の午後から始めて、いまようやく五軒目の訪問を終えたところだった。仙道はいま訪ねた古物商の名の上に、ボールペンで黒線を引いた。

昨日は、札幌の東エリア在住の個人、もしくは東エリアに事務所を持つ古物商を訪ねたのだ。高田の住宅兼倉庫から近い場所をつぶしたことになる。どこでも、高田とのつきあいは通り一遍だった。高田は倉庫を訪れ、商品を探し、型通りの会話だけを交わして去っていった。個人的な話題といえば、高田が以前ギターをやっていて音楽が得意であると言ったことを、ひとりが記憶していたくらいだ。

取引業者、取引相手の線から行動範囲を絞るのは無理かと、さすがに仙道も弱気になってきた。高田の行動範囲、つまり死体遺棄現場を示唆する高田の地理感覚については、べつのアプローチを考えるべきかもしれない。

仙道はすぐ思い直した。それは、きょうを終えてから考えても遅くはない。まだ十月のウィークデイの午後二時過ぎなのだ。きょうやれることは多い。

リストを眺めて、つぎの訪問先を決めた。いまいる場所から車で十分ほどのところ、中央区の行啓通りに、喫茶店のような名の店がある。ライブハウスの類かもしれない。こういった店の主人も、たいがいは楽器好きかオーディオ好きなのだろう。高田のいい商売相手だったにちがいない。つぎはここだ。


その店は、路面電車が走る通りから折れて二十メートルほどのところにあった。古い民家を改装したような外観で、アメリカのコミックをもとにしたような派手な看板が架かっている。ソフト・ドリンクも酒も食事も出す店のようだ。

中に入ると、やはりライブハウスにもなる店だとわかった。店のほうぼうに、アメリカン・テイストの雑貨が飾られている。

奥のカウンターの中に、赤いバンダナを巻いた男がいた。口髭をはやした四十男だ。

仙道はまっすぐカウンターに進み、名刺を差し出して言った。

「米原さんかな。高田峰矢って男のことで、少し話を聞けるだろうか」

男はかすかに迷惑そうな表情を見せて言った。

「またですか」

「確認なんだ。コーヒーをもらえるかな」

「お仕事なんでしょう?」

「正規の捜査じゃないんだ。お茶飲み話をしにきたんだと思ってくれ」

米原は、コーヒーの支度を始めながら言った。

「きょうはどういうことを?」

「高田とは、商売でつきあいがあったね」

「マーティンのビンテージ・ギターを二本、買ってもらいましたよ」

「いい商売相手だった?」

「ギターについては、若いのに目利きでしたね」

「個人的には、つきあいはあった?」

「いや。全然」

「彼の交遊関係なんて知ってる?」

「さあ。東京のひとだったんでしょう?」

「そう。商売以外の彼を知っているかな? どんなつきあいをしていたとか、どこに出没していたとか」

「音楽をやっていたとは聞いてましたけどね」

米原は、カウンターの端に寄って、コーヒーを淹《い》れ始めた。仙道はカウンターに肘をついたまま、正面を眺めた。コンサートのポスターやチラシ、写真などが、板の壁に無造作にピンで留められている。

ふと一枚の写真が目についた。ふたりの男が並んでいる。この店の中で撮ったようだ。ひとりは店のマスター、もうひとりは見覚えのある中年男。黒い細身のスーツを着ている。高田の写真にも一緒に写っていた男だ。

米原がコーヒーカップを仙道の前に置いた。

仙道は訊いた。

「その写真の男、誰だい？」

米原は振り返って、仙道の視線の先を見た。

「ああ、若宮さん。若宮順さんです」

「有名なひとなのかい？」

「知らないんですか？　有名人です。といっても、業界の玄人のあいだだけかな。音楽プロデューサーですよ」

仙道が首を傾げると、米原はこれなら知っているだろうという調子でひとこと口にした。昨日、不動産屋の桜井が言っていた男性アイドル・グループの名だ。

「あれを売り出したのも、若宮さんです。いちばん知られてるところではね」

つまり、高田が恨みを持ち続けていたグループの生みの親ということか。

「その若宮ってひとは、この店にくるの？」

「ええ。あのひと、年に一、二回は札幌に仕事にきてます。札幌出身なんです。厳密に言うと、厚田だそうですけど」

厚田。

ついにその地名が出た。高田と一緒に写真に写っていた有名人が厚田出身。年に一、二回は札幌にくる……。

仙道は自分が、空白部分を埋めるカードを手に入れたと意識しながら訊いた。

「その若宮さんと、高田とは、何かつながりはなかったのかな」

「そういえば」米原は額をかきながら言った。「高田はやっぱりこの写真に目を留めて、おれは若宮順の弟子だったことがあるんだって言ってましたね」

「弟子？」

「芸能関連の学校の教え子だったのかもしれない。もっとも、若宮さんのことだから、弟子はたくさんいたんでしょうけど」

「あんたは、若宮順とは親しいの？」

「まあね。おれも、いちおうこういう業界で食べてますから」

「その若宮の連絡先なんてわかる？」

米原は迷惑そうに言った。

「事務所に電話してみたらどうです？」


若宮順と電話がつながったのは、それから二時間後だった。

仙道は自分の部屋の固定電話から、若宮の携帯電話にかけたのだった。

「知ってるよ」と、妙に若い調子の声音《こわね》で若宮は言った。「死んだんでしょう。やつならやりかねない事件だったよね」

そうなのか？　高田は逮捕以前から、異常な性的嗜好で知られていたのか？

仙道は訊いた。

「高田とは、親しかったんですか？」

「まあね」と若宮は認めた。「あいつが十八、九のとき、事務所から頼まれて、面倒見たことがある。一年間、しつけてやったんだ。ギターもボーカルも、月並みなレベルだったけど」

「高田は、あなたを特別なひとだと思っていたようです」

「そりゃあそうだろうな。おれはいい指導者だったと思うよ。かなり本気で可愛がってやったんだ」

「たとえば？」

「できるだけ、勉強の機会を作ってやった。北海道ツアーの仕事にも連れていってやったぞ。最後には、若い連中だけ集めて、打ち上げもやった。厚田に行ってね」

「打ち上げ？　厚田のどちらでです？」

「おれの実家。離農した農家なんだけど、少し手を入れて、スタジオ作って、音楽合宿できるようにしてある。そこに若いのを泊めて、バーベキュー食わしてやった。高田は感激してたな」

接点はここだ、と仙道は確信した。高田は若宮について北海道を旅行したとき、札幌や厚田にそこそこの土地勘をつけたのだ。

「そこは静かなところですか？」

「静かだ。市街地から二キロも離れてるし、いまは半径五百メートル以内には、ほかに一軒のうちもない。夜中になれば、沢の音がサワサワ聞こえるだけ。音楽合宿には理想的な場所なんだ」

人家がなくて、沢のある場所。市街地から二キロ。

「ふだん、誰が出入りします？」

「おれが行かないかぎりは、誰も出入りしない。おれも、今年は五月以来行ってない」

「高田が、札幌に移った理由に、心あたりがありますか？」

「刑務所を出たあとか？　さあ。札幌の女が気に入ったんじゃないか？　札幌は好きだって言ってた」

「高田は、その若宮さんの合宿所も、気に入っていたんでしょうね」

「気に入ってた。こんなスタジオ、自分でも持ちたいと言ってたよ」

ある意味では、高田はその夢を実現したのだ。高田のヒーローは、監禁王子ではなく、若宮であったということなのかもしれない。でも仙道は、そのことを若宮には言わなかった。

「いちばん最近、高田と話したのはいつです？」

「正直言うと、刑務所を出てからは会ってない。あいつのライバルをデビューさせたせいで、あいつは半分はおれを恨んでたんだ」

「慕っていたけど、恨んでもいた？」

「愛憎相なかばってやつかな。おれのことを気にしていたとは思う」

仙道は最後に確認した。

「若宮さんのスタジオの所番地を教えていただけますか？」

若宮はすらすらと答えてからつけ加えた。

「夜はちょっと怖いとこだぞ。暗いからな」

仙道は礼を言って電話を切った。


刑事部屋の隅の会議室に、田辺が地図を持ってやってきた。国土地理院発行の二万五千分の一の厚田地区の地図だった。四枚の地図を組み合わせてテープで留めた、大きなものだった。地図に赤く斜線を引かれた部分があった。札幌寄りの海岸線と、山中の沢沿いと。四カ所だ。

田辺が言った。

「赤いところは、機動隊が入った。あんたの推理と、重なっていないか？」

仙道はじっくりとその地図を見つめてから、一点を指さした。

「ここだ」仙道は、一瞬自分が息苦しくなったのを感じながら続けた。「この沢沿いに、宮内由美の遺体が捨てられている。いや、遺体はふたつかもしれない」

そこが高田にとってどんな意味を持っていた場所なのかはわからない。汚してやるべき、冒瀆《ぼうとく》すべき場所であったのか。ただ単に、土地勘のある山林ということか。まさか神が降りる場所であったとまでは考えられないが。

田辺は怪訝そうに仙道を見つめてきた。

「ここだと言い切れるのか？」

「いえ。でも、捜索する価値はある。推理に多少の根拠はあります」

「聞かせてくれるか。課長も呼んだほうがいいかな」

「課長には、田辺さんから伝えてくれませんか」それから、仙道は田辺に請うように言った。「ここから先は、酒なしでは話せない。外でどうですか」

田辺は、仙道を案じるような目を向けてきた。もしかして仙道はいま、神経症じみた表情で田辺を見つめたのかもしれない。精神の平衡が崩れかけたような声を、思わず出してしまったのかもしれない。

田辺が、いたわるような調子で言った。

「このあいだの店でいいか？」

「ぴったりです」

仙道は宮内の顔を思い起こした。自分は遺体の捜索にも加わりたくはない。遺体を見たくはなかった。ここから先は、正規の警察組織の仕事だ。それで十分なはずだ。宮内との約束も、たぶん果たせたはずだ。遺体発見の連絡も、できれば田辺にやってもらおう。

自分はいまこの瞬間からまた、正しい休職刑事の生活に戻るのだ。医師に指示されたとおりの日常に復帰するのだ。

博労沢《ばくろうざわ》の殺人

日高地方中央部のその町に着いたのは、昼の零時を十五分ほどまわった時刻だった。

一昨日の新聞に、殺人事件が起こったという記事が載った町だ。仙道孝司《せんどうたかし》は、その町のその地区の名に記憶があった。いや、それだけではない。被害者の名前も、鮮明に記憶していた。

大畠岳志《おおはたたけし》。

競走馬生産牧場のオーナーで、六十一歳。殺害現場は男の自宅寝室だという。鈍器のようなもので頭部を殴られて死んでいたとのことだ。

十七年前、この町でやはり殺人事件があったとき、この名が出てきた。仙道はその当時、苫小牧署刑事・防犯課の新米の捜査員として、捜査本部に詰めた。ほぼ二週間、この町の商人宿に泊まって、聞き込みに当たったのだ。

年齢と土地が合致する。まちがいなくこんどの事件の被害者・大畠岳志は、十七年前の事件の関係者と同じ人物だろう。

「牧場主殺害さる
自宅寝室で凶行」

それがこんどの事件についての、地元ブロック紙の社会面の見出しだった。

被害者についての記述にはこうあった。

「殺された大畠岳志さんは、ダービー馬を出したことで知られる大畠牧場の当主。地元の名士であり、周囲は『なぜあのひとが』と当惑を隠せない」

記事はたぶん若い支局員が書いたものだろう。仙道には、記事のこの記述はかなりの違和感がある。名士という言葉を、単に有名人という意味で使っているならべつだが。

十七年前、仙道も加わった捜査本部は、大畠岳志を殺人事件の参考人として聴取したのだった。参考人とは言ったが、捜査本部内では事実上、大畠岳志をその事件の被疑者とみなしていた。しかし大畠を逮捕・送検しても公判を維持できるだけの物的証拠がなく、本部はけっきょく逮捕を見送ったのだった。やがて本部は解散し、事件は表向き迷宮入り。そして一昨年の秋に時効が成立している。

十七年前、仙道は捜査本部の置かれたこの町の警察署で、二度だけ被疑者である大畠岳志の顔を見たことがある。大畠は当時四十代なかばで、陽に灼けて血色のよい中年男だった。目も鼻も口も大きくて眉が濃く、いわゆる豪傑タイプの顔だ。

大畠の牧場のある地区には、いくつもの競走馬の生産牧場や育成牧場が拓かれている。この町は、軽種馬牧場の多い日高の中でも、とくに中堅規模の有名牧場が集まっている土地なのだ。中でも大畠牧場は、この町ではトップクラスの名門牧場だった。

大畠自身は、この町の古参の牧場主というわけではなかった。その事件の五年ほど前に、それまでのオーナーからその牧場を譲り受けて移ってきたのだ。その前は、千歳市の郊外で小さな軽種馬牧場を経営していたという。この町の牧場の買収の経緯について、大畠をよく言わないひとは、騙し取ったのだ、と表現していた。わずかな借金のかたに差し押さえて、入手したということらしい。

国道二三五、通称浦河国道を走ってきた仙道は、町の市街地に入る手前、信号のある交差点で左折した。ここから数キロ、内陸側に進んでゆくと、博労沢という地区に入る。大畠牧場は、その博労沢周辺の谷と丘陵部に広がっていた。

道はすぐに住宅地をはずれて、牧場地帯に入った。道は丘陵地の先、農業試験場の入り口ゲートまで、十キロあまり続くサクラ並木となっている。いまはちょうどそのサクラが終わった時期だ。先週末あたりが、たぶん見頃だったはず。日曜日には、この道路は花見客の自家用車であふれかえっていただろう。

谷間を進み、牧場の看板を五つほど通り過ぎた。小さな沢を渡ると、ほどなくして大畠牧場のゲート前に着いた。ゲートは丸太の門柱に貫《ぬき》を渡した巨大なもので、貫の中央には大畠牧場の文字が浮き彫りにされていた。これは十七年前と変わらない。

ゲートの内側に、一台の警察車が停まっていた。仙道がゲートの前で徐行すると、若い制服警察官が停止の合図を出した。仙道は素直に車を道の脇に寄せて停めた。

警察官が寄ってきたので、仙道は質問される前に言った。

「ご苦労さま。本部の仙道です。公務ではないんだが」

戸惑っている相手に、仙道は名刺を渡した。聞き込み用ではない、正規のものだ。所属と階級が記されている。警察手帳は、休職中の身なので携帯していない。

警察官は、いぶかしげに言った。

「ここには、何か用事で？」

「いや。ただ、場所の確認に」

「公務じゃないとおっしゃいましたが」

「ああ。プライベートで」

「ここは立ち入り禁止なんですよ」

「わかってます」

仙道はゲートの内側に目をやった。

私道が五十メートルばかり続いており、その奥にいくつかの建物が並んでいる。邸宅と呼んでよいほどの豪華な二階建て住宅。これが母屋だろう。レンガふうのタイルを外壁に貼っている。イギリスの領主館でも模したデザインなのだろう。

その左手には、平屋の建物。物置かもしれない。その建物の手前側には、スチール製のガレージがあった。母屋の裏手には、やはりスチール造りの厩舎と、その関連施設らしき建物が見えた。

母屋の前には、警察車が一台、北海道警察本部の名を記した黒っぽいワゴン車が二台停まっている。それに三台の高級乗用車。これは大畠岳志とその家族が使っているものだろうか。ひとの姿は見当たらなかった。

警官が言った。

「念のため、免許証見せてもらっていいですか」

「どうぞ」と仙道は、運転免許証を見せた。

名刺と免許証を見比べてから、警官は言った。

「誰かに取り次ぎましょうか？」

「いや、いいんだ。現場はあの母屋？」

警官は首を振った。

「申し訳ありません。言えないんです」

相手が名刺と免許証を一緒に返してくれた。

仙道は警官に手を上げて、車を発進させた。適当なところで車の向きを変えて、次は市街地に行くべきだろう。

いましがた左折した交差点まで戻り、浦河国道に入った。この交差点から、事実上市街地が始まっているのだ。市街地を通り過ぎた先に、この町の警察署がある。

仙道は時計を見てから、昼食にしようと決めた。どこかファミリー・レストランでもあれば、迷わずそこに入る。

携帯電話が震えた。

仙道はモニターを見た。佐久間からだった。彼はこの町の警察署の、刑事・生活安全課に勤務する捜査員だ。

仙道は道の脇に車を停めて、携帯電話を耳に当てた。

「聞いた」と佐久間が言った。「驚いた」

ゲート前にいたあの警官が連絡したのだろう。予想できることだった。

佐久間は続けた。

「公用か？　もう復帰したのか？」

彼も仙道が休職中であることを知っている。おそらくは、そうなった事情についても。

仙道は言った。

「まだ休んでます。きょうはプライベートで。むかし担当した事件を思い出したんです」

「その話をあちこちで聞く。どういう事件だったか、よくわからんのだ。教えてくれないか」

「かまいません。こんどの事件、目処《めど》はついているんですか？」

「一昨日は、誰もがすぐ解決すると思った。現場が自宅母屋の寝室だ。どうみても強盗じゃない。だから家族に事情を訊《き》いているが、不審な点が出てこないんだ。きょうになってから、難事件かもしれないって見通しが出てきた。夕方までに容疑者を絞り込めなければ、捜査本部設置を要請することになるな」

「身内とは言い切れないんですね？」

「そうなんだ。流しの可能性も出てきたし、周辺の評判もずいぶん耳に入ってきた。死んだから言えるってな、率直な評判さ。だから、動機だけで言えば、身内以外にも、疑える人間が大勢いるようなんだ」

「たとえば？」

「むかしのその事件を話題にする人間が多いんだ。関係があるという言いかたじゃないが、それも気になる。こんどの被害者は、その事件では被疑者だったって？」

「ええ。そのひとりでした」

「いま、町の中か？　来てるんなら、一緒に昼飯でもどうだ」

「この町にファミレスはありますか？」

佐久間は、大手チェーンの名を出した。そこで五分後にと。仙道は了解して、携帯電話をポケットに収めた。


佐久間良治警部補は、明るい色のステンカラーのコートを引っかけて、そのレストランに現れた。仙道よりも三歳か四歳年上。旭川中央署勤務時代に、短いあいだ同僚だった。警察官になる前、二年間デパート勤務だったという変わり種だ。この年齢の警察官には珍しく、ファッションのセンスが垢抜けていた。

「よおっ」と入ってきた佐久間は、店内を見渡した。

昼間だというのに、客は広い店内に四組いるだけだ。他人の耳をさほど気にすることもない。

佐久間は、ウエイトレスに定食を注文してから言った。

「どこまで聞いてる？」

仙道は答えた。

「新聞記事だけ」

警察発表をもとにした記事によれば、事件は二日前の未明に起こった。一昨日の朝、大畠岳志の妻が寝室に入って、夫の死体を見つけたのだ。大畠岳志は、鈍器ようのもので額を殴られ、死んでいたという。傷は額の骨が陥没するほどの深さ。検視では、強い力で一撃されたものだという。凶器は見つかっていない。

その前夜、大畠は零時過ぎまで町の中のスナックで酒を飲んでいた。飲酒運転で自宅に帰り、そのあと発見されるまでの九時間ほどのあいだに殺害されたようだ。司法解剖では、胃の内容物から、死亡推定時刻は午前三時から六時のあいだとされた。

室内は荒らされてはいなかった。佐久間たちは、当初は内部犯行だろうという判断だった。家族か、牧場の従業員によるものであろうと。妻、それにふたりの息子からべつべつに事情を聴いている。

そこまで聞いて、仙道は質問した。

「大畠は、母屋の寝室でひとりで寝ていたんですか？」

「そうだ」佐久間はコーヒーをすすりながら答えた。「母屋一階の奥に、寝室があった。ダブルベッド。女房は、もう長いことその寝室では同衾《どうきん》していない。当夜は二階で寝ていたと言っている」

「夫婦仲は悪いという意味ですか？」

「ふつうだ、ということだけど、よくはあるまい。大畠には隣町に女がいる。美容院をやっているそうだ。一昨日はその女のところからこの町に戻ってきて、もう一杯飲んだんだ」

「女房の容疑は濃厚？」

「だんだん薄れてきたな。死体の傷は、鈍器で一撃。女房は身長が百五十センチなくて、小さい女なんだ。ちょっと無理がある。凶器は見つかってないが」

仙道はセオリーを思い起こした。身内が殺人に及ぶとき、動機は憎悪という場合が多い。そのときは、顔を激しく傷つけることがふつうだ。鈍器で一撃だけ、という殺害方法はあまり一般的ではない。

仙道は訊いた。

「ふたりの息子は、どこにいたんです？」

「長男は、この町にいる」大畠牧場の親会社、大畠開発興業の専務だという。建設事業を担当している、と佐久間は言った。「次男は、札幌で仕事をしているが、帰ってきていた。花見の時期には、家族が集まるのが恒例だったそうだ。娘もひとりいるが、当夜は東京にいた」

「次男は、母屋に泊まっていたということですか？」

「ゲストハウスのほうにいた」

「ゲストハウスなんてあるんですか？」

「馬主とかを泊めることが多かったらしい。この町には、ろくなホテルがない。大畠は五年ぐらい前に、ログ造りのゲストハウスを建てた。母屋から少し離れた林の中にある」

「子供たちの家族は？」

「長男にはかみさんと息子。次男はひとり身。娘は結婚している」

「息子たちは、いい歳ですよね」

「長男の幸也が三十六。次男の真二が三十二」

「従業員は？」

「住み込んでいる男がふたりいる。裏手の厩舎の脇に宿舎があるんだ。あとは、通いで、町からお手伝いさんがやってくる。昼からなんで、発見されたときにはいなかった」

「従業員の聴取は？」

「三人とも、やった。とくに不審な点は出てきていないな」

「牧場から逃げた者とか、不審な車とかは？」

「目撃証言は出てきていない」

「いま佐久間さんたちがいちばん注目してるのは、誰なんです？」

「いちおう女房さ。第一発見者だし、同じ母屋の中にいたのに、犯行にまったく気づかなかったと言ってる。ところが」佐久間は頭をかいた。「内部犯行説は見当ちがいだったという意見も出てきたんだ」

「というと？」

「犯行は、火曜日の朝だ。日曜日には、あのあたりは花見客で渋滞していた。交通課も整理に動員されていたんだ。大畠牧場には、あの引退したダービー馬を見ようって客もそうとう来ていたらしい。大畠は、一台から五百円の駐車料を取っていた」

あの男らしい、と仙道は思った。十七年前も、大畠はカネに汚いという評判だった。町当局とも何度も問題を起こしているが、どの場合も最後はカネで解決させている。自分の人生のどんなに些細な部分も、カネを引き出すための材料にしているような男だった。

日曜日にそれだけ大勢の人間が敷地内に入っていたとなると、たしかに流しの強盗という線も出てくるわけだ。あの豪華な母屋があって、しかも住んでいるのは牧場主というか、博労というか、要するに現金の束がよく似合う種類の男だ。ここにはカネがある、と目をつけた者がいてもおかしくない。その男が、火曜日の未明に牧場に侵入し、犯行に及んだのか。

佐久間が、仙道の表情を見つめながら言った。

「殺人事件は、最初の三日で九割がた解決がつく。ところがこいつ、最初は単純な事件に見えたのに、被疑者を固めきれない。署長は、きょうの夕方までに目処が立たない場合は、捜査本部の設置を進言すると言ってる」

「外部犯行の可能性も含めて、やりなおしですか」

佐久間は口をすぼめて言った。

「そういうことだ」

ウエイトレスが、頼んだランチをテーブルまで運んできた。ふたりは身を起こした。

ウエイトレスが去ってから、佐久間が言った。

「十七年前の事件ってのを、教えてくれ」

仙道は、新米捜査員だった当時のことを思い起こした。

十七年前、つまりあの空前のバブル景気が終わった年だ。一時四万円目前まで上がった日経平均株価が、その夏には一万五千円を割り込んだ。急速な景気の収縮により、道警の管内では粗暴さをともなった経済犯罪がやたらに増えた年であったろう。仙道は警察官として、その年二月の、東京清瀬の警察官殺害事件を強く記憶している。警察官は拳銃を奪われ、警視庁の懸命の捜査にもかかわらず、事件はけっきょく去年、時効となった。

問題の事件が発覚したのは、その年の十月だ。たしかアメリカでは、日本人留学生がハロウィンの仮装を強盗のマスクと誤解されて、射殺された事件が起こっていた。

この町の水源地に近い山林で、初老男性の遺体が発見されたのだ。捜索願いの出ていた建設業者だった。長沼輝明。六十歳で、彼もまた趣味で競走馬を飼っていた。もっとも、地方競馬向けの、クラスとしてはB級の軽種馬ばかりだったが。

死体の頭蓋骨は、割れていた。鈍器で何度も殴られたのが死因と見えた。道警本部は殺人事件と断定して、この町の署に捜査本部を置いた。仙道は当時、苫小牧署の刑事・防犯課に配属になったばかり。所轄の年配刑事と組んで、被害者の周辺の聞き込みに当たった。

聞き回っているうちに、この日高地方の土地柄や競走馬をめぐる業界の様子も、知ることとなった。被害者は、日高地方の自営業者にはよくいるタイプだった。馬が好きで、競馬が好きで、とにかく博打《ばくち》的なことはなんでも好きな男だった。

その男が、秋口のある日、とつぜん消えた。夕刻、仕事で出るといって事務所をあとにした後、連絡が取れなくなったのだ。本人の乗っていたドイツ製セダンは、市街地のはずれ、博労沢にかかる橋のたもとで見つかった。

捜索願いが出されて、地元警察はいちおうセダンの中を調べた。セダンはとくに事故を起こしたようではなかったし、セダンの内部にも事件を示唆するような形跡はなかった。

それからほぼひと月後だ。釣り人が、林道入り口から数十メートル入った山林の中で、半分埋まった死体を発見した。長沼輝明の死体だった。

このとき、被害者と大畠岳志との接点が浮上した。長沼輝明は、その年、大畠牧場の施設の増築を請け負った。工事が終わったとき、支払いでトラブルが起こったという。工事に手抜きがあったと、大畠は長沼の工務店、長沼建設への工事代金の支払いを拒否したのだ。

二度、大畠と長沼は直接にやりあったらしい。一度は長沼の事務所で、もう一回は大畠牧場で。交渉は物別れに終わり、長沼は訴訟を起こすと大畠に宣言した。大畠のほうも、弁護士を立てて争うと返したという。

その二度目の交渉が、失踪の四日前のことだった。

先輩捜査員たちが、大畠の事情聴取を担当した。このとき大畠はトラブルがあったことは認めたが、長沼が失踪したその日代金の一部を支払うことに同意して会うことになっていた、と証言したという。じっさい大畠は当日、地元の信用金庫で、工事代金の二十パーセントにあたる四百万円という金額を引き出していた。そのカネを用意して事務所で待っていたが、長沼はこなかったという。

当時大畠の乗っていたセダンを任意で調べると、助手席から長沼の着ていたジャケットと同じ布の繊維が見つかった。しかし大畠は、何度か長沼を自分のセダンに乗せたと、追及に答えた。自分たちは、たしかに一時支払いをめぐって揉《も》めたと見えたかもしれないが、仲は悪くなかったのだと。町のスナックで一緒に酒を飲んだこともあったし、助手席に乗せて送ったこともあったという。じっさいその裏付けが取れたので、繊維片は何の証拠にもならなかった。

動機はあるが、被害者の失踪当日のアリバイについては、これを明快に否定する証言は出てこなかった。しかも当日、カネを払おうとしていたという傍証がある。捜査本部は大畠の逮捕を断念した。逮捕しても検察は起訴できず、もし無理に起訴したとしても、公判の維持は難しいだろう。そういう判断だった。

捜査本部設置から二週間目で、仙道は本来の所轄である苫小牧署へ戻るように指示された。捜査本部は縮小され、翌年七月には解散したはずである。

佐久間が訊いた。

「その事件、大畠が被疑者だったたってことでいいのか？」

仙道は答えた。

「内輪の話に留めてください。終わった事件です」

「おれに何かアドバイスがあるんじゃないか？」

「いいえ」仙道は首を振った。「そういうつもりできたんじゃないんですが、とにかく競走馬業界や博労関係者は、敵の多い商売人ばかりですよ。多くが、殺すの殺されるのと言い合うようなトラブルを抱えてる。最初から、あまり絞り込まないほうがいいかもしれない」

「おれも日高にきて一年になる。それは承知してるつもりだけどな。たとえば、その事件の場合はどんなものだったんだ？」

「わたしは大畠のほうではなく、被害者の交遊関係を聞き込みしてたんです。長沼輝明が抱えていたトラブルは、大畠とのものだけじゃなかった」

「かなり深刻なものか？」

「馬業界は、古い世界です。競走馬の取り引きをめぐって、ほんとに生臭い話が行き来する。長沼輝明は、地方競馬向けの軽種馬の生産もやっていた。町の外に、自分の牧場を持っていたんです」

「こっちの小金持ちには多いな」

「静内《しずない》の牧場主とは、取り引きした馬をめぐって、刑事事件寸前のトラブルを起こした。日高門別の競馬場で、殴り合いになったそうです」

「理由は？」

「静内の牧場主が、障害だか病気だかを隠して、長沼に馬を売ったんだとか」

「博労の商売じゃ、よくある話じゃないのか？　そんなことに引っかかったんなら、長沼って男も阿呆だ」

「その話を聞きつけ、相手のところまで会いに行ったんです。相手にはアリバイがなかったし、わたしも相手をひと目見た瞬間に偏見を持ってしまった。捜査本部で、少しおおげさに報告してしまったんです」

「そのせいで、本部は回り道してしまったということか？」

「最初の三日間、混乱させてしまいましたね。おかげで、ひとを見かけで判断するな、と教訓を得ました」

そのとき、もうひとつの古い記憶に思い至った。いまのいままで、思い出しもしなかったことだ。新聞記事を見てこの町にやってきて、いま佐久間に十七年前の捜査のことを話しているうちに、その記憶がふいに大脳の表面に浮上してきたのだ。

仙道は言った。

「長沼は、女ともトラブルを起こしていた。長沼は事件の起こる二年ぐらい前に、つきあっていた女と別れる別れないで派手にやりあって、女の家族も巻き込んで、町で噂になった。女はスナック勤めで、突然この町から消えたんです。事件性があるかもしれないってことで、この事情も洗えってことになりました」

「お前さんが、担当した？」

「いいえ。けっきょくその女は、札幌に出て、小さな男の子を育てながら薄野《すすきの》で働いているということがわかった」

「事件との関わりはなかった？」

「それ以上の事情聴取はありませんでしたね」

「つまり被害者も、複数の人間から恨まれていたってことなんだな？」

「そうなんです。聞き込みに回る捜査員全員が、みな怪しい情報を持ち帰ってくる。浮上してきた人間の誰もが疑わしく見えた」

「そういう事件だったのか」佐久間は腕時計を見た。「署に戻る。午後に、長男のほうを呼んであるんだ。二時間で交代して、そのあとは次男」

「大畠の葬式は、いつになるんです？」

「明日、遺体が札幌から帰ってくる。そのまま通夜だろう」

「大畠牧場を見せてもらってかまいませんか」

佐久間は立ち上がりながら言った。

「うちの中は駄目だ。外はかまわんよ。吉川にも電話しておく」

「吉川って？」

「あそこにいたろう。地域課の巡査だ」

あの若い警官のことか。

仙道も、テーブルの上から伝票を持って立ち上がった。


大畠牧場のゲートの前で、仙道は車を停めた。先ほどと同様、吉川という若い巡査がすぐ警察車から降りて近づいてきた。

仙道はもう一度名乗って佐久間の名を出した。

「聞いています」と、吉川は言った。「母屋の中は立ち入り禁止なのですが」

「知ってる。あんたは、現場を見てるの？」

「いえ。外からのぞいただけです」

「凶器の捜索は終わったんだったか？」

「ええ。昨日、五十人規模で。見つかってませんけど」

「車、どこに停めたらいい？」

吉川は、ゲートから見て左手のガレージの前を指さした。

「そこにお願いします」

ゲートの内側も、駐車スペース全体が舗装されていた。十七年前は、ここは砂利を敷いただけの空き地だった。

仙道はあらためて大畠牧場の母屋の周辺を見渡した。

建て替えられた母屋の豪華さといい、駐車場まわりといい、ずいぶん様変わりしている。この十七年のあいだに大畠牧場はダービー馬を出したし、景気はずいぶんよかったのだろう。きちんと工事代金を支払うようにもなったのかもしれない。母屋の前に停まっていたワゴン車はなくなっている。鑑識作業も終了したということなのだろう。

吉川が近寄ってきて言った。

「昨日までは、テレビも大勢きてたんですがね。きょうはさすがにいなくなった」

仙道はふしぎに思って訊いた。

「一台ぐらい張りついていても、おかしくないのにな」

「みんな、所轄の前に移動したんです」

「息子たちが呼ばれてるからか？」

「そうだと思います」

「マスコミはもう、犯人が誰か決めつけているわけだ」

「長男ってのが、血の気の多そうな男で、また絵になるんですよ」

十七年前は、大畠の子供たちまでは見ていない。長男は二十歳ぐらいだったはずだが。

仙道は訊いた。

「というと？」

「ハンチングをかぶって革のジャンパー着て、ゴム長靴なんです。昔の東映の映画によく出てきた悪役みたいで」

「殺された親父さんも、そういう雰囲気があったんじゃないか」

「たしかにそうでした。次男のほうは、正反対のタイプですけどね」

「おとなしそうなのか？」

「痩せて、長髪で、黒っぽいスーツで。親父さんが殺されたってのに、あんまり動揺もしていませんでしたね」

「裏手、少し見せてくれ」

「どうぞ」

吉川は仙道から離れて、警察車のほうに歩き出した。

仙道は吉川を呼び止めた。

「このうちには、犬はいなかったのかな?」

十七年前、大畠はたしか犬を飼っていたはずだ。トラブルの相手に、ジャーマン・シェパードをけしかけた、という情報も耳にした。もし犬がいたら、殺人犯が外部から侵入するのは、難しくなるのだが。

吉川は振り返って答えた。

「少し前まで飼っていたみたいですよ。なんとかいう猟犬。死んだそうです」

「少し前まで?」

「詳しくは知りませんが、厩舎の隅に犬のケージがありますよ」

「ありがとう」

となると、外部からの侵入も難しくはない。日曜日の駐車場開放のとき、犯人は犬がいないことを確認したのだとも考えられる。そうなると、ずいぶん広く網を張らなければならない。

仙道は母屋の横を通って、裏手へと回った。

裏手は、方形の空き地を囲むように、牧場施設が建てられている。右手が緑の三角屋根の厩舎《きゆうしや》だ。屋根に空気抜きのキューポラがついている。左手に、いわゆるD型ハウスがあった。倉庫として使われているようだ。厩舎の真正面は、馬場だった。サラブレッドが四頭、干し草のまわりにいる。

厩舎の中をのぞくと、手前の馬房の中で、青年がレーキで馬糞や寝藁をまとめているところだった。キャップを目深にかぶり、水色のつなぎ服を着た青年だ。つなぎが少し窮屈そうに見えた。仙道と目が合うと、青年は手を休め、微笑してあいさつしてきた。

「おはようございます」

大きすぎる声だった。仙道は一瞬とまどった。しかし、青年の表情にはまったく邪気がなかった。

「こんにちは」と仙道はあいさつを返した。「警察なんだ。あんたは？」

「警察のひとですか。ぼくは、ハラダです」

「ここで働いているひと？」

「ええ。一月から、ぼくは大畠牧場で働いています」

口調が、どこかたどたどしくも感じられた。

もっと質問しようとしたとき、うしろから声がかかった。

「ハラダ、さぼるなよ」

振り向くと、汚れたキャップをかぶった、痩せた中年男が立っていた。四十年配だろうか。青年同様につなぎ服姿だったが、つなぎの色は薄いグリーンだ。鹿毛《かげ》の馬の手綱を左手に持ち、右手を馬の無口にかけていた。

青年はレーキを持ち直すと、また馬房の掃除にかかった。

仙道はその中年男に言った。

「警察の者です」嘘ではない。公務ではないが、それは明かす必要もないだろう。「こちらの方ですか？」

「警察のひと？」相手は不審そうに近づいてきた。「まだ何か？」

馬も男に曳かれて前進してきた。間近で見ると、それは想像以上に大きな動物だった。仙道は三歩退いて言った。

「いいえ。現場には何度も来なくちゃならないので。ええと、お名前は？」

「管野です。この牧場の管理人です」

「ああ。ご協力ありがとうございます」

管野は皺の多い顔だった。現場仕事が長かったのかもしれない。

管野は不審を消さないままの表情で訊いた。

「どうなんです？　犯人はわかったんですかね？」

「捜査中ですよ」

「明日は、通夜なんだよ。通夜に、犯人が捕まっていないというのもねえ」

「努力しています。その後、何か思い出しましたか？」

「いいや。思い出せることはみんな話した」

「ここの牧場のことには詳しいんでしょうね」

「ああ。勤めてもう三年だからね」

意外だった。管理人と自己紹介したので、牧場の実務をまかされてかなり長いのかと想像してしまったのだが。

「馬牧場の仕事をずっと？」

「まあね。ここの前は美浦《みほ》で働いていたんだ」

美浦というのは、茨城県美浦のＪＲＡの訓練施設のことだろうか。ということは、業界つながりで大畠に雇われたのだろう。

管野は馬を右手の馬房に入れると、通路に戻ってきた。

「そういえば」仙道は、すでに管野についての情報を知っていたように装って言った。「管野さんの前の管理人さん、辞めた理由はご存じですよね」

「中山さんのことかい？」

「そうです」

「さあな。あんまり仕事のできるひとじゃなかったんだ。だからおれが引っ張られた」

「円満退職でした？」

「さあ。よく知らないよ」

「いまどこにいるんでしょうね」

「知らないって、ほんとに」

管野がその場から去りたがっているのが見て取れた。もしかしたら自分が疑われているのかもしれないという感覚があるのだろう。

仙道は管野を解放してやることにした。

「ゲストハウスに行くには、どうしたらいいんでしたっけ？」

管野は、左手の厩舎の出入り口を指さして言った。

「D型の横に道がついてる。そのまま道なり」

「どうも」

仙道が厩舎の出口へ向かうと、うしろで管野の声がした。

「道具箱、片づけておけと言ったろう。やんなかったな」

「すいません」とハラダと名乗った青年の声が聞こえた。

仙道は厩舎を出ると、周囲を観察しながらゲストハウスへと向かった。

その道も簡易舗装してある。泊まり客は、車でまっすぐに建物の前まで行けるのだ。

やがて道は少し下り坂となった。ナラの木立があって、道はその木立の奥へと続いている。丸太の黄色っぽい樹肌が木立ごしに見え隠れするようになった。

木立を抜けると、そこにゲストハウスが建っていた。角ログ造りの平屋だった。トタン屋根と窓枠が緑に塗られている。佐久間の話では、このゲストハウスにいま、次男が滞在中ということだったが、表の駐車スペースには、車はなかった。

木立の左右に注意深く目を向けながら、仙道はいまきた道を引き返した。厩舎の裏手には、大量に馬糞や藁が積まれていた。ハラダが、そこで手押し車から汚れた藁や馬糞を捨てていた。青年は仙道に気づくと、また無邪気な微笑を向けてきた。

D型ハウスの横の道を通ってゆくと、白いサイディング・ボード貼りの建物があった。ひとつの窓の外に洗濯物が干してある。従業員用の宿舎のようだ。あの管野とハラダが住んでいるのか。

母屋の前の駐車スペースまで戻ると、吉川巡査がまた近寄ってきた。

「何かわかりました?」

仙道は首を振った。

「いや。捜査の応援できたわけでもないんだ」仙道は逆に吉川に訊いた。「若いひとが働いているね。彼は、どういうひと?」

「あ、原田って子ですね。最近働き出したらしいです。詳しいことは自分は知りません」

「いま働いているのは、管野っていう管理人と、あの若い子と、ふたりだけだね。二人とも、あの宿舎にいるの?」

「いえ」と吉川は従業員宿舎のほうに顔を向けて答えた。「原田のほうは、D型ハウスの隅の部屋で寝泊まりしてるんじゃなかったかな」

仙道は礼を言って、自分の車に向かった。このあとは、長沼輝明の死体が発見された水源地のほうへ向かってみよう。とくに何をしようというわけでもない。ただ、むかしの記憶をたぐりやすくするため、大脳を刺激してやろうということだ。

この町にきて、風景を眺め、情報を耳にして思うのは、ひとつのことだった。十七年前のあの事件が、こんどの事件に何らかの影を落としているのではないかということ。

もちろん何の根拠もない。十七年前の事件の非公式の被疑者が、こんどの事件の被害者、ということ以外に、とくに何かの関連があるわけでもない。世の中にはこの程度の偶然はある、と納得できる程度の連関にすぎない。でも……。

自分の中にどこか落ち着かない気分が募ってきているのだ。何かふたつの事件の連関で、見落としていることがあるような。何か引っかかる共通点があるかのような。

そのむずがゆさにも似た気分を、なんとかすっきりさせたかった。どうすればそれが可能になるのかはわからないが。


仙道は大畠牧場を出ると、二時間ほど町の中を回った。水源地を往復するだけで、一時間半かかっていたのだ。市街地に戻ってきたときは、午後の四時になろうとしていた。

浦河国道沿いの、かつて長沼建設の事務所のあった場所には、べつの会社が事務所を構えていた。看板には大畠開発興業とある。ということは、これが大畠岳志の長男が勤める会社なのだろう。


警察署の前まで行くと、浦河国道をはさんで反対側の歩道に、いくつかのテレビ局のカメラマンたちが三脚を据えていた。国道脇の空き地には、中継車が三台。そのほかにワゴン車が五台ばかり。ポケットに手を突っ込んだ男たちが、所在なげに歩道を行ったり来たりしていた。

ひとり見知った顔があった。札幌の新聞社で警察担当だった男だ。歳は仙道と同じくらいだろう。刑事事件についての嗅覚がすぐれた男で、捜査員たちを出し抜いて取材することもしばしばだった。道警では、新米刑事よりも使えるんじゃないかと冗談を言われていたくらいだという。吾妻、という名だ。

いま彼は、目立たぬ色のハーフコートを着て、警察署の建物を見つめている。薄い髪が、風で乱れていた。

彼はこの三日間でどの程度、取材をしたのだろうか。十七年前の事件のことは、当然彼も覚えているはずだが。

仙道は署の前をいったん通り過ぎてから、川にかかる橋の手前で向きを変え、町の市街地に戻った。予約しておいたそのビジネス・ホテルは、浦河国道からJR駅前方面に折れた通りにあった。

仙道はクローゼットよりはまだましという程度の広さの部屋にチェックインすると、佐久間に電話をかけた。予想通り、電源が切られている。長男か、あるいは次男を事情聴取中なのだろう。

ふと思いついて、吾妻に電話した。警察署前にいた、鼻の利く新聞屋《ブンヤ》。一度仙道は、書かれてはならない捜査情報を記事にされて、どういうつもりかと詰め寄ったことがあった。証拠が隠滅されたら貴様のせいだと。相手は抗議を無視したけれども、それ以来、逆になんとなく情報交換ができるだけの仲となった。

電話がつながると、吾妻が言った。

「さっき見たような気がしました。やっぱり来てるんですね」

「ああ。この町にはちょっと縁があるんだ」

「長沼輝明殺人事件ですね。おれも、担当したんですよ」

「ちょっとコーヒーでも飲まないか。そこで待ってても、あと二時間は息子たちは出てこないぞ」

「そういう気分になってたんです。この通り沿いに、鞍の看板の架かったカフェ・バーがありますね。そこでどうです？　この時間なら、コーヒーが飲めるらしい」

「すぐに行く」

行くと、その店はイギリスのパブを真似た店なのだとわかった。室内は壁も椅子もテーブルもすべて焦げ茶色に統一されており、競馬関連のグッズがほうぼうに飾られている。鞍とかキャップとか乗馬靴などだ。カウンターの左手の壁は、厩舎の壁、という設定になっているようだ。蹄鉄や革紐、スティール製の鐙《あぶみ》や轡《くつわ》などが真鍮《しんちゅう》のフックにかけられている。蹄《ひづめ》を手入れするものなのか、大きな鋏のような道具とか、鎌状の刃物なども留められていた。

カウンターの向かい側の壁の前には、アップライト・ピアノがあって、その上には十数葉の額入りの写真。どれも古いイギリスの競馬風景を写したもののようだ。競走馬の町にはひとつぐらいあってもよい店、と思ったが、じっさいのところ、この店にふさわしい雰囲気の客がこの町にどの程度いるかはわからなかった。

カウンターの中には、五十がらみの男がいた。白いシャツにタータン・チェックのベスト。短く切り揃えた口髭を生やしている。仙道と視線が合ったとき、一瞬わずかに顔がこわばった。堅気《かたぎ》ではないのか、と仙道は考えた。このおれが警察関係者であると、たぶん瞬時に感じ取ったのだ。

吾妻はすでに奥のテーブルに着いていた。ほかに客はひとりもいない。喫茶店としてよりは、むしろ酒場として利用されている店なのだろう。

仙道はカウンターの中の男にコーヒーと告げてから、奥へと歩いた。

吾妻は愉快そうに言った。

「休職中なんでしょう？」

誰もがそれを訊く。もう答えることも面倒な話題だった。仙道は椅子に腰を下ろすと、ああと短く答えて訊いた。

「いつから来てるんだ？」

「昨日からです。支局の応援。仙道さんはいつから？」

「さっきだ」

「もしかして長沼事件との関連を気にしてですか？」

「お宮入りだったからな。センチメンタル・ジャーニーだ。何かつかんだか？」

「まさか。警察発表待ちですよ」

「あんたがやってきて、それでは済まないだろう。身内説の根拠は？」

「身内説って言いましたか？」

「そう思ってないなら、きょう警察署の前にいないはずだ」

吾妻はわざとらしく額をかいてから言った。

「根拠ってのは、息子ふたりと被害者との関係なんです」

「父親によく似た長男と、都会派の次男。連中のあいだに何があるって？」

「父親嫌い。ふたりとも、父親を殺したいくらい憎んでいた」吾妻は言い直した。「憎んでいる」

「花見を一緒にやる親子なんだろう？」

「先日の花見のとき、対立がクライマックスに達したそうです。遺言書を書く、と大畠が言い出して、険悪になったとか。ま、わたしはその場を見ていたわけじゃありませんが」

「遺言書を書くってことは、ふつうの遺産相続はさせないって話になったたってことだな」

「大畠には、娘がひとりいます。ご存じですよね」

「東京で結婚してるんだろう？」

「大畠はその娘を可愛がっている。娘の亭主も、将来この町に移り住んでもいいと言ってるらしいです。それで大畠は、子供の分の遺産は全部娘にやると言い出したらしい」

「なんでまた、そんな親子になってしまったんだ？」

「大畠は、生まれついての博労だったってことです。男の子たちを、馬を調教するように育てた。それも、むかしながらの調教法でね。暴力で支配し、しつけるというやりかたです。馬なら通用しても、人間には無理だ」

吾妻は、長男次男それぞれの、父親と衝突したエピソードを教えてくれた。長男の幸也は十八歳のとき、つきあっていた女の子と別れろと殴られ、猟銃を父親に向けて撃ったという。母親と従業員が必死で制止したため、弾はそれて、惨事には至らなかった。激昂した大畠は、幸也をいっそうひどく殴った。大怪我をした幸也は救急車で運ばれ、落馬したと偽って札幌の病院に入院したのだ。その後、ふたりは根本のところでは和解していなかったようだという。

幸也はいま、大畠の持つ大畠開発興業という会社の専務だ。この町随一の建設会社を事実上経営している。大畠牧場は、商法上はこの大畠開発という会社の一部門である。もちろん、大畠岳志が社長だった。

次男の真二のほうは、大学進学をめぐって対立した。真二は小学生のころからピアノを習っており、音楽方面の道に進むことを考えていたらしい。

吾妻が解説した。

大畠は、子供たちがまだ小さいとき、自宅にアップライト・ピアノを入れた。見栄で買ったのかもしれない。家族の中に誰か弾き手が必要だったので、次男と娘に家庭教師をつけた。大畠の希望に反して、娘のほうはすぐにピアノを止めてしまった。代わりに次男の真二のほうが没頭した。これは大畠にとって誤算だった。

大畠は、真二には経営学か法律を学ばせて、自分の持つ会社の経営に参加させたかったらしい。しかし真二があくまでも音楽系大学への進学に固執するので、ある日大畠はピアノを斧で破壊、残骸を庭で燃やした。父親の剣幕に恐怖を感じたか、真二はやむなく音楽を捨てると約束、東京の私大の経済学部に入学したのだ。そのことへのわだかまりが、まだあるはずだという。

いま真二は、札幌にある大畠の持つ会社の支社長という立場だ。不動産の管理の仕事をしているという。何か新規事業への進出を構想しているが、大畠がこれにまた断固反対していたとのことだ。

吾妻は、これですべて、というようにテーブルの上で両手を広げた。

「警察も、もうご存じのことでしょう?」

佐久間からは聞いていなかった。しかし、地元署も当然これら家庭の事情を承知したうえで、子供たちの事情聴取をおこなっているのだろう。

仙道は言った。

「その程度のことは、よくある話とは思うけれどな」

吾妻が笑った。

「ふつうは、親子の問題で猟銃を持ち出したり、斧でピアノを壊したりってことにはなりませんよ」

「兄弟自体は、仲がいいのかい」

「どうでしょうかね。タイプはまったくちがいます。お互い、敬遠気味って印象はありますけど」

「大畠の女房も、寝室は別だったと聞いた」

「女がいたそうですからね。だけど、亭主が暴君でも、きちんと立てていたようです。殺すほどの恨みを持っていたのかな。動機としては、十分かもしれませんが」

「もともとは、どういう出身なんだ？」

「さあ。千歳の堅気のうちの子だったんじゃないでしょうか。そっちは調べていません」

嘘ではないだろう。仙道は、目の前に置かれたコーヒーカップから、冷めてしまったコーヒーをすすった。

吾妻もコーヒーカップに口をつけてから言った。

「身内に照準、でいいのかどうか、正直なところ、わからないんですよ」

吾妻は先年香川であった祖母と孫娘ふたりの殺害事件を口にした。

「あれだって、三日目まではメディアも被害者の身内の犯行だと疑ってませんでしたからね。先入観なしに見たほうがいいのかもしれません」

「そうだな」と同意した。

そのとき、店の外が騒がしくなった。仙道は出入り口に目を向けた。

頬を紅潮させて、三十代の男が入ってきた。すぐに誰かわかった。大畠岳志の長男、幸也だろう。ハンチングをかぶり、革のジャンパーを着ていた。長靴を履いていたが、これは、フランスの乗馬用品ブランドのようだ。必ずしも野暮なものではない。

事情聴取が終わったのか？

仙道は時計を見た。まだ午後の五時前だ。ということは、もう幸也への疑念は完全に消えたということか。署ではやはり本部に対してお手上げを認め、捜査本部の設置を要請するのかもしれない。

幸也のあとから、カメラを持った男たちが店の中になだれこんできた。テレビ・カメラを持った者もいる。さらにそのうしろから、マイクを持った男や女。

大畠幸也はまっすぐカウンターに進むと、カウンターの上に両肘を置いてバーテンダーに言った。

「追い出してくれ」

言い終わらないうちに、大畠幸也はマスメディアの記者やカメラマンたちに囲まれた。

「どうでした?」

「何を訊かれました?」

「どういう事情聴取だったんですか?」

バーテンダーが、そのメディアの連中を一喝した。

「会員制だ。出ていってくれ」

鋭い声だった。

記者たちは動きを止めて、バーテンダーを見つめた。

バーテンダーは、記者たちを見渡しながら言った。

「この店は会員制だ。出ていってくれ」

その声音といい、表情といい、やはり堅気のものではなかった。記者たちは大半が三十代。中には二十代と見える者もいる。互いに顔を見合わせてから、不服そうに出入り口のドアに向かっていった。

ひとりの記者が、吾妻に気づいた。

「彼はどうなの?」

吾妻がブロック紙の有名記者であることは知られているのだ。

仙道は吾妻とバーテンダーを交互に見た。

吾妻は愉快そうだ。バーテンダーがどう対応するかを楽しみにしている。

仙道は吾妻に言った。

「出ていってやったらどうだ」

「仙道さんは？」

「刑事に出ていけと言うやつは、少ないと思うぞ」

「ここで何か起こったら、あとで教えてもらえますか」

「何も起こらないさ」

吾妻は、しかたがないとでもいうように立ち上がった。

吾妻が店を出ていったあと、バーテンダーと大畠幸也が仙道を見ながら何か話している。自分も追い出されるかと思っていたら、大畠幸也がカウンターを離れて、仙道のほうにやってきた。

大畠幸也は、ビールのジョッキを手にしている。彼のその顔だちも、雰囲気も、自分の記憶にある大畠岳志とよく似ていた。

「あんたは刑事さんなのか？」と、大畠幸也が訊いた。

いくらか敵意、あるいは怒気に近い感情をはらんだ声だ。

仙道は苗字だけ名乗ってつけ加えた。

「公務できてるんじゃないんだ」

大畠幸也は、いましがたまで吾妻のいた椅子に腰を下ろして言った。

「どうしておれたちが疑われるんだ？　被害者の家族だぞ」

「捜査のことは何も知らない」と仙道は答えた。「もし疑われているなら、きょうはこんな時間に解放されなかったろう」

「なのに、マスコミの連中はあの通りだ」

「連中は、手あたり次第、身近な誰かに容疑をかける」

「犬をけしかけてやりたくなるよ」

「連中は、あんたを怒らせてそういうところを撮りたいんだ。反応すれば、いっそうからかわれる」

「ちがうって言ってるのに、どうして聞かないのかね」

「あんたは、目星がついているんだろう？」

「知らねえよ。とにかく身内じゃない」

「思い当たるやつがいるように聞こえるぞ」

「親父は、町の人気者ってわけじゃなかったからな。業界でも、けっして人柄は好かれてはいなかった」

幸也は言った。

ここ五年ばかりのことを思い出しただけでも、父親はトラブルばかり起こしていた。汚排水処理施設の設置時期や花見時期の観光客対策で、町役場ともめた。飼料代の支払い条件をめぐって、農協の担当者とやりあった。馬市でセリ落とした馬の購入代金の支払いを渋ったため、相手かたが乗り込んできたこともあった。種馬の共同購入シンジケートを作ったときも、やはりカネの扱いをめぐって訴訟騒ぎとなった。つねに二件や三件のトラブルを抱えていたという。

大畠幸也は締めくくった。

「つまり、この町だけでも、親父を恨んでいる人間はごまんといる。警察だって、それは知ってるはずなんだ」

「その線でも捜査は続けてると思うよ」

出入り口のドアが開いて、男がひとり入ってきた。黒っぽいスーツを着た、痩せた男だった。

大畠幸也が、男のほうに振り返ってから立ち上がった。

「弟も解放された。身内の容疑は消えたってことだな」

その男が、大畠岳志の次男の真二なのだろう。大畠真二は、カウンターの前で立ち止まり、視線を仙道のほうに向けてきた。いや、兄の幸也を見たのかもしれない。おや、という表情になった。

幸也は椅子から立ち上がった。

「早く犯人を捕まえてくれ」

「あんたは？」

「通夜の準備だ。おふくろが喪主で、おれが施主とかってことになるんじゃないのか」

幸也はカウンターにジョッキを戻し、弟の真二と視線をかわして店を出ていった。

真二のほうは、ドアが閉じられてから、バーテンダーとふた言三言話していた。ちらりと仙道を見たから、バーテンダーはここに刑事がいるとでも伝えたのだろう。

真二は、幸也とは対照的に、線の細い印象がある。色白で、神経質そうな顔だちだった。黒いスーツの下は、ネクタイなしの白いシャツだった。第一ボタンをはずしている。その崩れた着こなしが似合っていた。

真二は、バーテンダーからグラスを受け取った。白っぽい半透明の液体が入っている。何かのカクテルのようだ。

真二がそのグラスを手に、仙道の方向に歩いてきた。自分に何か用件でも、と仙道は背を起こした。

しかし真二は仙道の前を通り過ぎると、ピアノまで歩いて、椅子に腰を下ろした。

弾くのか？

真二はグラスをピアノの上に置いて、蓋を開いた。

すぐに彼は弾き出した。クラシック曲だが、仙道には曲名はわからなかった。曲想から、ショパンだったろうかと想像できる程度だ。

真二はそのまま弾き続けた。背中からは、事情聴取の疲労なのか、うんざりという気分が感じられた。弾きかたも、どこか投げやりに聞こえる。けっして真摯《しんし》な演奏ではなかった。

二分ほど弾いてから、真二はふいに演奏を止めた。それ以上弾く意欲を失くしたようだった。

真二はグラスを持って、振り返った。仙道が見つめていたことを承知していたかのような表情だ。口元が皮肉っぽく歪んでいた。

「警察のひとなんですか？」と真二が訊いた。その声音も、やはり皮肉っぽい。

「そう」と仙道は答えた。「仙道って言う。公務じゃないんだけどね」

「事情聴取はいま終わったんだ。疑いは晴れたんだろう。それとも泳がされたのかな」

「そんな意味はないだろうね」

「ピアノは好き？」

「ジャズ・ピアノなら」

「弾くの？」

「全然」

「警察のひとなら、ぼくと親父が仲が悪かったたって話は、耳にしてるんでしょう？」

「そうなのかい？」

「ぼくは高校のとき、コンクールで北海道地区三位になった。その表彰状を持って帰ってきたら、親父はピアノを斧で叩き壊して、音楽は止めろって言ったんだ」

「でも、陰では続けていたってことかな」

「止めた。ときたま、こうやってピアノのある場所で、いじらせてもらうだけさ」

「素晴らしかった」

真二は鼻で笑った。

「全然やらないと言ったばかりじゃないの。わかるのかい」

「天才と、素晴らしいアマチュアのちがいくらいは」

真二の右の眉が吊り上がった。

「止めろと言った親父のほうが正しかった、と言ったのかい？」

「そんなつもりはない。スタンディング・オベーションが欲しかったのかな」

真二は首を振った。

「あんたの言うことはたしかだ。ぼくはアマチュアだ」

「この町で弾くだけではもったいない」

「刑事さんは、ぼくをここで待っていた？　そんなことはないよな。ここにくるつもりなんて、ぼくもさっきまでなかったんだ」

「たまたまだ。コーヒーを飲める店を探した」

真二の次の質問も同じ調子だった。

「親父さんを殺したいと思ったこと、あるかい？」

「いや」

仙道は慎重に答えた。大畠真二はいま、神経をつかう事情聴取から解放されて、まだ気分がささくれだっているのだ。

真二は、カクテルに口をつけてから言った。

「きょうもさんざん訊かれた。当日、親父と言い合いはしなかったか。何かトラブルを抱えていなかったか。憎いと思っていなかったかってね」

仙道が黙っていると、真二は天井を見上げ、溜め息をついてから言った。

「いつも喧嘩してばかりさ。進路、就職、同棲、婚約、新規事業。何をやるにも、喧嘩しなければならなかった。その意味じゃ、ずっと憎いと思ってきた」

「殺したいくらいに？」

「いや。だけど、親父は誰かに殺されても、しかたがなかったと思うよ」

「何か理由でも？」

「いろいろさ。刑事さんも、お酒、つきあわない？」

相手がせっかく抑制を解いて話してくれるというのだ。ここで断る手はなかった。

「公務員なんでね」と仙道は言った。「割り勘なら」

真二はバーテンダーに向かって言った。

「こちらのひとも、注文がある」

仙道は、ジン・トニックを注文した。

仙道のジン・トニックが出てきたところで、真二が訊いた。

「憎いとか、殺したいと思ってるだけで、罪にはならないですよね？」

「脅迫になっていなければ」

「親父なんて、若いときは、ぶっ殺してやる、ってのが口癖だった。ああいうのはどうなんだろう」

「ときと場合によっては、脅迫罪が成立するな。とくに猟銃を持っていたり、猟犬を連れていたりすれば」

「じつは、ある時期、親父はそういうことを言わなくなった。言う必要がなくなったんだ。あまりまわりとトラブルを起こさない時期があった」

「ほう？」

「むかしね」真二はグラスに口をつけた。「親父が殺人犯だと疑われたことがあった。そのあとは、みんな親父に距離を置くようになってね。たとえば誰かが請求書を持ってくる。親父が眉をひそめる。すると相手は顔色を変えて、値引きするって言い出すんだ。そういう時期がしばらく続いたみたいだ。この事件のことを、知ってる？」

「じつはあのとき、捜査員のひとりとして、この町にいた」

真二は驚いたようだ。目を丸くしたまま、動きが止まった。

「なんだ」真二は、不自然に笑いながら言った。「きょうは、そっちの事件のほうの捜査？」

「もう時効の事件だ」

「十七年前の秋だったよ」

「法的には、決着はついている。わたしも、プライベートな関心で来ているだけだよ。捜査じゃない」

「あの被害者、長沼ってひとも、親父とはトラブルを起こしていた。親父はきっと、ぶっ殺すぞ、ぐらいのことは言ってたんじゃないかな」

「だから、親父さんは取り調べを受けたんだと思う」

「あんたは、親父を直接調べた？」

「いいや。新米刑事だったんで」

「あのときは、ぼくは高校生だった」

「まだピアノを習っていた時期だね」

「ずばり訊くけど」

仙道は真二を見つめた。真顔だ。質問が予期できた。

「あんたは、あの事件の犯人は親父じゃないと確信してる？」

「判断不能だ」と仙道は答えた。「刑事だからといって、情報を全部教えられるわけじゃない。情報なしに、判断はできない」

「印象でもいい。親父じゃないと、いまでも思ってる？」

どう答えようかとまどっていると、真二が言った。

「その沈黙が、答えだよね」

「軽々しく口にできることじゃない」

真二は、軽い調子で言った。

「じつは、おれは親父が犯人だったと思ってるよ」

衝撃を隠して、仙道は訊いた。

「根拠でも？」

「とくにない。ただ、長沼さんと揉めていたのは知っていた。長沼さんも、親父に負けずにこわもての男だった。あっちも親父に、ぶっ殺すぐらいのことは言ったんじゃないかな。だから親父は、本気で殺されることを心配したんだ。自分がそういうことをやりかねない性格だから」

「親父さんが犯人だという根拠としては薄いな」

「小学生のころ、親父がうちで飼っていた豚をつぶしたことがあるんだ。あのころの農家では、そんなに珍しくはなかったと思うけど」

小学生のころというと、大畠がまだこの町に移っていない時期だろう。千歳市で小さな牧場を経営していたころか。

真二は言った。

「ついてくるなと言われたのに、ぼくは豚小屋までこっそりついていった。親父は、まさかりを持って小屋の中に入っていった。ぼくが物陰から見ていると、親父はまさかりで豚の額を一撃して殺した。ぼくはその日、ショックで飯も食えなかったよ。長沼さんの死体が発見されたって聞いたとき、ぼくはあの日の親父の姿を思い出したんだ」

仙道は、話の進展具合にとまどって言った。

「明日は、親父さんの通夜なんだろう。あまり余計なことを思い出さないほうがいいかもしれない」

真二はまたカクテルを口に入れると、仙道の言葉など耳に入っていなかったかのように言った。

「この町を出て心配だったのは、兄貴のことさ。親父と気性がそっくりだ。何かあると、ほんとに親父を殴り倒しかねなかった。ぼくがそばにいれば、割って入ることもできるけど」

「こんどのこと、兄さんの仕業だと言っているのかい？」

「逆だよ。そうなる前に、親父は死んだ。犯人は外部の誰かだろう？　親父を恨んでいた人間。殺してもかまわないと思い詰めた人間。むしろそうすべきなんだと、気がついた人間。そういう誰かがいたのさ」

真二がまたカクテルのグラスを持ち上げたが、もう空だった。

真二はふいに立ち上がった。

「帰る。あんたの分は、払っていかないから安心してください」

仙道は真二がカウンターの前まで歩くのを見守った。酔うほど飲んではいないはずだが、一気に酒がまわる体調かもしれなかった。少しだけ仙道は、真二の精神状態を案じた。彼がもしあのゲストハウスに戻って酒をまた飲み出すとしたら、そうとうに悪い酒になるのではないかという気がした。

携帯電話が鳴った。佐久間からだ。

「息子たちは解放した」と佐久間は言った。「いましがた、捜査本部設置を要請した。きょうじゅうに札幌から管理官と応援がやってくる。あんたはいまどこだ?」

仙道が店の名を答えると、佐久間は笑って言った。

「そんな近所にいるのか。待っててくれ。コーヒーを飲もう」


店にやってきた佐久間は言った。息子ふたりについては、被疑者と断定しきれない、と。

動機はある。アリバイも怪しい。長男の幸也は、市街地に、次男の真二は牧場内のゲストハウスにいた。ふたりとも深夜、勝手知ったるあの母屋に侵入することは可能だ。しかし、まったく物証がない。所轄署が三日間かけて犯人にたどりつけない以上、道警本部のベテランたちに頼るしかなかった。

佐久間は疲れたような声を出して言った。

完全にシロと判断したわけでもないが、物証のないままこれ以上やると、誤解を招く。公判では、自白の強要があったと叩かれかねない。署としては、捜査指揮を道警本部に委ねるしかない。ましてや外部犯行の可能性が増してきたとなると、十分な人手が必要だった。

仙道は訊いた。

「従業員も、完全にシロですか？」

佐久間はうなずいた。

「管野の線は薄いな。珍しく大畠は、管野って管理人を可愛がっていた。よく働くってことでな。関係はよかった。動機もないし」

「若い子が働いていましたね。原田って青年。彼はどういう従業員なんです？」

「原田明夫。十八歳かな。教えたことはきちんとやる少年だと聞いた。手順を教えると、素直にその通りに。臨機応変にゆかないのが難点ということだったが」

「両親はこの町のひとですか？」

「母親は札幌。祖父母が浦河にいる。原田は浦河の祖父母のもとで育ったんだ。乗馬療法なんかもやっているスクールにもいたとか。今年から大畠牧場で働くようになった。安く使える従業員が欲しかった大畠には、原田はめっけものだった」佐久間は笑ってつけ加えた。「言っておくが、あの子にも動機はないぞ」

佐久間は、コーヒー一杯だけ飲んで、すぐに署に戻っていった。

仙道は、自分のグラスを手元に引き寄せて思った。

気がかり。引っ掛かり。十七年前の事件。そのこととのつながり。

それがそこに見えてきたことはわかる。ただ、明瞭ではなかった。まだ核心も輪郭も霧に包まれたようなものだ。しかし、確実にそこにあると、その気配だけはわかる。あと風がひと吹きするなら、陽が一瞬でもそこに差し込むなら、それははっきりと目に見えるものになる。指し示し、手で触れることができるようになる。

原田明夫。原田。十七年前にも、原田という名がどこかで出てこなかったろうか。

仙道はカウンターに歩いて、バーテンダーに勘定を頼んだ。支払いを終えてから、仙道はカウンターの左の壁に目をやって訊いた。

「馬には詳しいのかい？」

バーテンダーは答えた。

「厩務員《きゅうむいん》だったことがあるんです」

「そこの道具は、厩舎で使うものかい？」

バーテンダーは、壁にかけられた道具類に目をやってうなずいた。

「そうです。乗馬とか、馬の世話のための道具ですね」

「その大きな鋏みたいなものは？」

それは長さが五十センチか六十センチ。先端がペンチの先のように接している。鉄製と見える。重そうだった。

バーテンダーは答えた。

「蹄を削る鋏です。人間で言えば、爪切り」

「馬牧場で使うものかい」

「むかしは削蹄師《さくていし》が持ってましたね。最近はグラインダー使うようになったんで、あまり見なくなりましたけど」

仙道は礼を言って、店を出た。


翌日である。

その店のドアを開けると、ピアノの音が聞こえてきた。いましがた電話で佐久間が教えてくれたとおりだ。きょうも大畠真二は、午後に一時間ほど事情聴取を受けたあと、この店に来ていた。

仙道はバーテンダーに目であいさつすると、まっすぐピアノの前へと歩いた。真二が振り返って手を止めた。

仙道は手近の椅子を引き寄せて、真二を真横から見る位置に置き、腰を下ろした。真二は居心地が悪そうに、身体を仙道に向けてきた。

「どうしたんです?」と真二が訊いた。「きょうはもう、どうでもいいことを確認されただけですよ」

仙道は真二を見つめて訊いた。

「きょうは浦河まで行ってたんだ。あの町で、わたしも確認したいことがあって」

真二の頬が、わずかに強張ったように見えた。ただし視線をそらすことなく、仙道を見つめてくる。あんたが何を言おうと怖くはないとでも言っているかのようだった。

「原田明夫って少年のことを調べてきた。あんたは、もちろん知っているよね？」

真二は、二度まばたきした。どう答えるべきか、葛藤しているようだ。仙道の質問が直截《ちよくせつ》的すぎると感じたのかもしれない。

けっきょく真二は答えた。

「知ってる」

「あんたは、彼の知らない彼自身の生い立ちについても知ってた」

「少しは」

「あんたはそれを、原田に話した。花見の前後の日に」

真二は視線をそらしてうなずいた。

「ひとは、自分がどこからきたのか、知っておかなきゃならないよ」

「そのほかにも、いろいろと話した」

「いろいろとね。だけど、それが教唆《きようさ》とかってことになるとは思わないよ」

「微妙なところだ」と仙道は同意した。「だけどひとつだけ訊きたい。わたしは捜査員じゃない。個人的な関心だ」

「どうぞ」

「そうした理由だ」

「べつに」と真二はわざとらしく笑った。「昨日も言った。いずれ親父は誰かに殺されてた。兄貴がやったかもしれない。だけど、因果応報ってことを考えれば、親父が誰に殺されるべきなのか、それははっきりしている。たまたまそこに、ふさわしい人物がいた」

「あんたが教唆するまで、そんなことは夢にも考えていなかった人物だ」

「どうかな。めぐりめぐって、こうなる運命だったのさ。そう思わないかい？　ぼくが口にしたことなんて、瑣末《さまつ》なことさ」

「関与の程度が問題になるな。わかっているかな」

「思いつきを口にしただけだ」

仙道はシャツの胸ポケットから、携帯電話を取り出した。すでに通話状態になっている。真二はそのことに気づいたのか、目を丸くした。しかし、その目には抗議の色はなかった。

立ち上がって携帯電話を耳に当てると、佐久間が言った。

「ありがとうよ。だけど、難しいぞ」

「そうですか。いまどこです？」

「店の外に着いたところだ」

仙道は携帯電話を畳んだ。真二は落ち着きを取り戻したようだ。また皮肉っぽい笑みで仙道を見つめてくる。このあと何がどうなろうと、受け入れるつもりでいる、という表情にも見える。

仙道は目をそらして真二から離れ、店の外に出た。

店の前にセダンが停まっていた。佐久間は運転席にいる。

仙道は助手席に乗り込んだ。

佐久間が言った。

「真二が原田にどの程度のことを言ったのかはわからないが、原田の供述はたぶん取調官の誘導を疑わせるものになる。弁護側はそこを突いてくる。責任能力の有無も争われる。少年だし、送検しても難しい事件になるな」

「ひとがひとり死んだ。いや、ひとがひとり、殺人者にさせられた。それでも、送検は無理ですか」

「捜査本部には、この情報を上げるさ。だけど、管理官はどう判断するかな。見た印象じゃ、杓子定規の秀才キャリアじゃないが」

「佐久間さんの気持ちはどうです？」

「真二が因果応報と言っていたな。あの言葉は、腑に落ちるよ。法では裁けなかった殺人犯を、被害者のじつの息子が殺したんだ。息子のほうは、罪には問えそうもない。社会通念ってやつを考えても、無理のない終わりかたじゃないか。あんたは、どうしても検察送りにしたいか？」

仙道は言った。

「いえ。じつはきょうこの町に戻ってくるまでに、同じ結論に達していた。でもそれが妥当かどうか、自信はなかったんです。佐久間さんが同じ結論だったんで、ほっとした」

「とにかくその判断は、上にまかせよう。腹空いてないか？」

朝にこの町を出て浦河を往復、さらにこの町に戻ってきてからも、関係する先で聞き込みをしてきたのだ。昼食もとっていなかった。ひどく空腹だった。喉も渇いている。激しいまでの枯渇感があった。

それを言うと、佐久間は笑った。

「この町でいちばんの料理屋に行こう。ごちそうする」

佐久間が自分の車を店の前から発進させた。

仙道は、左手、店の出入り口に目を向けた。中からピアノの音が聴こえてきたような気がした。そのはずはない。気のせいだ。中でどんなに大きな音で弾こうと、ウィンドウを閉じた車の中までは、音は聴こえてこないはずだ。

それでも、音が仙道の頭の中に響いた。記憶が、昨日の音の再生を始めた。

真二が弾いていたのは、なんという曲だったのだろう。たぶんショパン。自分に見当がつくのはそこまでだ。ノクターンのどれかではなかったろうか。

仙道はシートベルトを締めながら思った。

昨日、真二のピアノを、もっと誉めてやってもよかったのかもしれない。彼は殺人者である父の影におびえ苦しみながら、思春期以来のこの十七年を生きてきたのだ。そのことに、多少の同情の余地はあった。刑事として挑発することはなかったのだ。

どっちみちそれは、いずれ佐久間もたどりつく結論だったのだから。

復帰する朝

切り上げどきだ、と、ちょうど仙道孝司《せんどうたかし》は思っていたのだった。医師から命じられた三度目の転地療法の十日目だ。

もう必要ない。自分は北海道警察本部の捜査一課捜査員として、職場復帰できる。

北海道東部のひなびた温泉地で、仙道は釣りと山歩きと入浴を繰り返す日々に飽いていた。職場復帰の意欲が、強くなっていた。身体の中で、若い細胞が活発に増殖を始めているような感覚があった。放っておけば、古い皮膚が内側から裂けてしまいそうだ。それがいやなら、もう休職を終えて、もとの職場に戻ったほうがよい。自分自身の感覚では、たぶん後遺障害から立ち直っている。もう心因性の激しいストレスに悩まされることはない。医師も次の診察では、それを認めるはずだ。まず間違いなく、自分にはもう休職と転地療養は必要なくなった。

それにいま道警本部は、道内で相次いで起こった不可解な三つの殺人事件で、新しく捜査本部を三つ立ち上げている。経験のある捜査員が足りなくて、苦労しているはずだ。自分の復帰にはよいタイミングではないか。仙道はその朝、湯治場《とうじば》をあとにして愛別のインターチェンジに向かい、道央自動車道に乗った。四時間後には、札幌の自宅に帰っているつもりだった。

そこに、その電話がかかってきたのだった。

「仙道さんに、力になっていただきたいんです。妹に殺人容疑がかけられているんです」

道央自動車道の砂川サービスエリアだった。札幌まであと一時間という位置だ。

電話してきたのは、仕事で知り合った女性だった。とはいえ、その後も親しくつきあいがあったわけではない。仕事が終わったところで、もう電話のやりとりもなくなっていた。

「中村由美子です」と相手は言った。「三年前に、札幌でお目にかかりました。本部に電話したら、休職中だとうかがいましたので、この電話に」

少し頼りなげにも聞こえる細い声。口調はいまどきの三十女には珍しく思えるくらいに丁寧だ。

「覚えています」仙道は言った。「あのときはお世話になりました」

三年前、仙道が道警本部捜査一課の捜査員として担当した事件で、彼女の記憶力と観察力に頼ったことがある。彼女は事件現場となったホテルの従業員だった。

仙道は、メガネをかけ、髪をひっつめにした中村由美子の面影を思い起こしながら言った。

「妹さんに、殺人の容疑？」

「はい。疑われています」

「逮捕されたのですか？」

「いいえ。でも、事情聴取が二度ありました。マスコミが、妹の家の前に大勢陣取っています。逮捕を待っているみたいです」

山中の湯治場では、新聞は読んでいなかった。テレビも食事どきに少し見る程度だ。中村由美子がどの事件のことを言っているのか、見当がつかなかった。

「それは札幌の事件?」

「いえ。帯広です。わたしはいま実家に帰っているんです。帯広の、女性レストラン・オーナー殺人事件のことです」

思い出した。十日ばかり前に起こった事件だ。十勝川の河原で焼死体で発見された女性は、帯広の資産家の一族で、自身もレストランを経営していた。まだ三十歳。美人社長殺人事件として報道された一件。事件は未解決のはずである。現在、道警本部が立ち上げている三つの殺人事件捜査本部のひとつがこの一件だ。

しかし、中村由美子の妹の家にマスコミが張りついているとなると、捜査本部の誰かが何かしらの情報をリークしたのだろうか。

仙道は訊《き》いた。

「わたしが力になれることというと?」

多少の予想はついている。この休職期間中に、このような電話を受けたことは、今回が初めてというわけではないのだ。

中村由美子は、電話の向こうで少しためらったようだ。短い無言のあとに、口ごもったような声が聞こえてきた。

「あの、妹を助けてもらえないかと。弁護士さんに相談するのがよいのかもしれませんが、やはりまず警察の方ではないかと思って。でもわたし、警察の方というと、仙道さんしか存じあげなくて」

　仙道が黙っていると、中村由美子が言った。

「ご迷惑でしょうか？」

「いえ」仙道は携帯電話を持ち直して言った。「捜査については、部外者のわたしにできることは何もない。でも、すぐに事件は解決すると思いますよ。妹さんが無実なら、警察がそれを証明するはずです」

　中村由美子は、仙道の言葉など聞いていないかのように言った。

「妹が、もう真犯人扱いです。うちの前にも、妹の勤め先の前にも、カメラマンが大勢きて、カメラを向けています。無理にインタビューしようとしたり。妹が可哀相すぎます」

「警察が逮捕していないのですから、容疑者ではありませんよ。マスコミが勝手に想像しているだけだ」

「そうは思えない取材をされていますから」

　新聞を読んでいないので、報道のトーンがどんなものかわからなかった。ニュースでも、特別センセーショナルな扱いではなかったと思うが、関係者の身内にしてみれば、そうは思えないのかもしれない。

　仙道は、もう少しだけ情報を訊き出すことにした。

「妹さんは、被害者と何か関係があったんですか」

「はい。知り合いでした。同じフィットネス・クラブの客同士ということで。その方の経営するレストランでも、なじみ客のひとりです」

「警察は、妹さんを二度取り調べたとおっしゃいましたっけ？」

「事情を聞かれたそうです」

「帰してもらったのなら、被疑者扱いではないように思います」

「マスコミはそうは考えていないようです」

「事件が解決すれば、すぐにマスコミも消えますよ」

「その前に、春香《はるか》は、妹は、ずたずたになってしまいます。繊細な子なんです。こんな状態では、神経が参ってしまう」

「警察も、取材は常識の範囲内でと指導しているはずです」

「でも、ひどいものです。もし仙道さんが、帯広でマスコミを妹から遠ざけてくれるなら、妹はなんとかふだんの暮らしを続けることができると思います。そのあいだに、事件も解決するでしょうし」

「休職中の警察官には、できることなどしれています。とくに何か権限があるわけでもないし」

「目に余るような取材を抑えてくれるだけでも」中村由美子はふいに嗚咽《おえつ》した。緊張にこらえきれなくなったのかもしれない。「すみません。わたしも、妹のことが心配で心配で」

「ご家族のみなさんは、一緒なんですね？」

「いいえ。妹は、市内のべつのところに部屋を借りていますが、避難も考えています。マスコミが、しつこすぎるので」

やはり捜査本部の側も何かしらの疑惑を持っているのかもしれなかった。もっとも、どんな事件でもマスメディアは事件の周辺の関係者に集中砲火のような取材をかけ、その中から真犯人が出た場合、事件解決のときにその画像を公開する。捜査本部の判断など無視して、ただ視聴率とテレビ映り優先で暴走するのだ。今回の場合がどうなのかはわからないが。

仙道は、中村由美子の泣き顔を想像しながら言った。

「たしかにわたしは警察官で、休職中です。マスコミの取材暴力に対して、わたしは多少の防波堤にはなれるかもしれませんね」

言ってから、少し後悔した。事件の様相も捜査の進展具合も知らないのに、この返答は早まったかもしれない。中村由美子の妹がもし容疑濃厚だった場合はどうなる？ そこに休職中の捜査員が出て行くことを、捜査本部は快くは思うまい。捜査妨害だと受け取られるかもしれない。即刻の退去を指示してくる可能性は大だ。これまでの例から言っても、自分が事件の現場周辺にいることができるのは、せいぜい二十四時間だった。

中村由美子が訊いた。

「お力になっていただけます？」

「帯広に行きましょう。取材陣に対して、良識の範囲での取材をお願いしましょう。警察手帳を持ち出すわけにはゆきませんが。それに、できるのはせいぜい一日、二日のことになるかと思いますが」

「うちのホテルに泊まってください。精一杯の便宜をはからせていただきます」

「わたしは公務員です。便宜を受けることはできない。勝手にやりますよ」

「でも」

「いまわたしは、砂川にいるんです。これから帯広に向かいます」

中村由美子は驚いたようだ。

「札幌にいらしたんじゃなかったんですか？」

「湯治からの帰りです。夕方までには、帯広市内から電話をかけます。この電話でいいんですね」

「助かります」中村由美子は安堵《あんど》の声を出した。「こんなとき、誰に頼ったらいいのかもわからなくて」

「事件、早く解決するといいですね」

「ええ。ほんとうに」

電話を切ってから、仙道は頭をかいた。この事件について、同僚の誰かから情報を得る必要があった。帯広に向かう前に。いや、とりあえず帯広に向かっておいてよい。着いたときに、十分な情報が得られたらそれでよい。

思い出したくない名前がすぐに浮かんだ。秋野浩平警部補。かつて本部で同じ捜査一課にいた男だ。仙道よりも三歳年上の警察官だった。そもそも仙道が休職と転地療養を命じられるきっかけとなった事件で、ペアを組んだ。三年前のことだ。そのときのバディであった彼は、いまは帯広署で地域課に配属されているはずである。

彼に自分は電話をかけることができるか。できることなら、この先生涯彼とは接触したくない、とさえ思ったことがあった。彼を嫌っているわけではないが、あの顚末《てんまつ》を思い出したくなかったのだ。でも彼の顔を見るなり声を聞くなりすれば、いやおうなくあの事件のあの瞬間のことがよみがえる。そうなると、また自分は後遺障害を発症することになるのだ。それは避けたかった。

では、誰に情報を聞けばよいか。

思いつかなかった。

仙道は携帯電話を手にしたまま、駐車場を横切って自分の車に戻った。そのあいだ、けっきょくのところ思いつくのは、秋野だけだった。

仙道は自分の車の脇に立って、彼に電話を入れた。

「お、どうした？」と秋野は言った。「休職中なんだろ？」

「ええ」仙道は答えた。「どうやら、終わりそうです。ところで」

いま電話で話せる状況かどうか確かめてから、仙道は訊いた。

「帯広の美人社長殺人事件、捜査はどのあたりまで？」

秋野は笑いながら言った。

「おれは地域課だぞ」

「耳にしている範囲で。わたし、今朝まで山の中の湯治場にいたんで、ろくに新聞もテレビも観ていなかったんです」

「十勝川の河川敷で、女の焼死体が見つかった。十日前だ」

「それは知っています」

「司法解剖して、女は扼殺《やくさつ》されたとわかった。身元もすぐに判明。帯広の有名菓子メーカーの経営者の娘で、レストラン・オーナー。まだ三十歳という若さの美人」

「有名菓子メーカーというと？」

「華泉堂」

「あそこか」

なるほど有名だ。チョコレートやクッキーで、全国的なブランドとなっている。

秋野は続けた。

「被害者の名前は、町田奈穂。奈良の奈に、稲穂の穂と書いて、ナオだ。ここまでで、お前の推理は？」

「推理のしようもありませんよ。資産家の娘となれば、誘拐の線もありますか。カネをめぐるトラブルかな。焼いたという点には、痴情、怨恨の可能性も考えられる」

「捜査本部は、事件の性格についてはどうやら絞ったようだ。ただ、いまはとにかく町田奈穂の周辺の人間関係を調べているという段階のはずだぞ」

「中村春香という女性が浮上している？」

「中村春香？　ああ、被害者の知り合いだな。二度、事情を訊いたはずだ」

「濃厚？」

「さあ。おれはそこまでは耳にしていない。繰り返すが、おれは地域課だぞ」

「マスコミが、春香に張りついているとか」

「らしいな」

「捜査本部が事情を訊いた理由は何です？」

「知らないって」

「では、マスコミが中村春香を狙っている理由は？」

「よくは知らない。ただ、中村春香も、害者に負けていないぐらいの美人で、帯広の名家の出だ」

「中村家というのはそうなんですか？」

「ホテルを持っている。十勝川温泉にも、サホロにも。結婚式場もやっていたな。春香の父親は、帯広商工会議所の会頭だからな」

知らなかった。あの中村由美子は、かなりの資産家のお嬢さんだったのだ。

秋野が口調を変え、ふしぎそうに訊いた。

「なんでこの事件に興味を持つんだ？」

「じつは」仙道は正直に言った。「その春香って女の姉さんと知り合いなんです。妹をマスコミから守ってやってくれと頼まれたんですよ」

「するつもりなのか？」

「休職中ですし、知り合いのそばにいるっていうだけです」

「あまり勧められることじゃないぞ」

「捜査にでしゃばるつもりはありません。あくまでも、マスコミの取材暴力に対する牽制で」

「じつは、中村春香の父親からも、署に要請がきた。取材陣が娘の家の前に陣取って、通行もできないからなんとかして欲しいって。地域課が警備している」

「じゃあ、中村春香には、やはり相当な容疑がかかってるってことじゃないですか」

「捜査本部は、裏に面白いストーリーがあると判断してるんじゃないか。男がらみとか。ただし、テレビ局もまだ中村春香については、名前を出しては報道していないはずだぞ。映像と発言ストックのための取材だ」

「テレビ局がいれば、ご近所は被疑者だと決めてかかるでしょう」

「かといって、警察が打ち消してやるようなことでもない」

「どこかの事件で、疑われた家族について、捜査線上にはない、と捜査本部がわざわざ会見したこともありましたよ」

秋野が黙ったままなので、仙道は確かめた。

「中村春香が犯人の可能性は？」

「さあ」と秋野は答えた。「捜査本部は、絞ってはいないように見えるぞ。被害者は派手な生活で、男関係も多かったと聞いてる。被疑者があぶり出されるまで、まだ少しかかるんじゃないか」

「早い段階で中村春香に事情聴取ってことになった理由はなんです？」

「さあ、そこまでは耳にしていない。調べておいてやろうか」

「お願いできますか」

「ああ」

仙道が電話を切ろうとすると、秋野が言った。

「おれに電話をくれるとは意外だった。もう立ち直ったようだな」

「そうですか?」

「帯広で、飲もう。酒は大丈夫だな?」

「一応止められていましたが、飲んでますよ」

「じゃあ、あとで」

仙道は、自分の車の脇で携帯電話のオフボタンを押した。

秋野の言うとおりだ。自分はあの秋野に電話して、話すことができた。さほどの緊張もなく、激しいストレスを感じることもなしに。やはり自分の回復は本物だ。もしきょう秋野と酒を飲むことになって、そのあと荒《すさ》んだり悪酔いしたりしなければ、それが証明されたことになるだろう。

帯広に行くのが楽しみだ。

仙道は自分の車の運転席に乗り込んだ。進路は変更する。帯広に向かうのだ。

いま季節は晩秋。サービスエリアのあるこの地方は曇天であるが、日高山脈の東側は好天であるはずだ。このところ、帯広を含めた十勝地方一帯は、快晴の日々が続いているらしい。だからこれからその十勝地方に向かって四時間以上走ることは、苦痛ではなかった。医者にも言われている。天気の日には戸外に出なさい。紫外線を浴びなさい。それがなによりの療法ですからと。

帯広なら、札幌よりも陽光に満ちている。これは自分の精神を落ち着かせ、穏やかにするためにも、恰好《かっこう》のドライブだ……。

仙道は自分にそう言い聞かせて、車を駐車場から発進させた。つぎの奈井江砂川インターチェンジで降りて少し引き返し、国道三八号線に入るというのが、たぶん最短ルートだろう。

中村由美子は、知り合った当時、札幌のホテルに勤務していた。ちょうど日本ハム・ファイターズが日本シリーズで優勝した年の秋のことだ。中村由美子の勤めるホテルで殺人事件があった。仙道は道警本部の捜査一課捜査員として彼女と知り合ったのだった。レセプショニストとしての彼女から、仙道は合計で三時間ほど話を聞かせてもらったろう。

彼女の証言のおかげで、被疑者はわりあい簡単に特定できた。一週間後に、被疑者逮捕。仙道は、捜査本部が解散した日にホテルを訪ねて彼女に礼を言った。そのあと、彼女と札幌市内の居酒屋で一時間ほど話したことがある。そこはホテルの系列の居酒屋とのことで、ひどく安い割引料金しか請求されなかった。あれはもしかすると、ホテルの側からの警察へのお礼の意味もあるご接待だったのかもしれないと、仙道はあとになって思った。少なくとも、中村由美子のほうに何か私的な想いのこもった時間ではなかったはずだ。

彼女は実家が帯広にあって、いつかは帯広で働くという意味のことを言っていた。仕事着は濃紺のスーツだったが、私服に着替えてきたときも、外見の印象はさほど変わらなかった。ひっつめの髪にメガネ。ごく地味なジャケットにパンツ。役所の女性警官たちでさえ、と仙道は思ったものだ。私服のときはもっと華やかになる。

彼女の左手の薬指には、指輪がはめられていた。それが婚約指輪なのか、結婚指輪なのか聞かなかった。帯広にいずれ帰る、ということは、婚約指輪だったのかもしれない。

ごくふつうの中産階級の女性と思っていたが、いまの秋野の話では、中村由美子の実家は十勝地方の有数の資産家。あの札幌でのホテル勤務は、いわば実家で経営陣に入るための研修ということだったのだろう。

帯広に着いたのは、午後四時を少し回った時刻だった。予測よりも二十分ほど早かった。

仙道は国道三八号を東に車を進めた。帯広警察署は、この国道に面している。十勝大橋のごく近所だ。

やがて帯広署が見えてきた。二階建ての、コスト重視で建てられたと見える無骨なビルだ。上に巨大なアンテナの立っているところが、ふつうのオフィスビルとはちがう。表の駐車スペースには、警察車と一般の乗用車が合わせて十台ばかり並んでいる。仙道は、自分の車をその駐車場に入れると、もっともエントランスから遠い位置に停めた。

ジャケットを着てビルの中に入ると、受付で秋野の名を出した。

すぐに秋野が、姿を見せた。大きなダブルクリップでまとめた新聞記事のコピーのようなものを手にしていた。それに、十センチ四方ほどの真四角の透明なプラスチックケースがいくつか。

「元気そうだな」と、秋野は皺《しわ》の多い痩せた顔をほころばせて言った。「その顔色なら、復帰できそうだ」

仙道は言った。

「ご心配おかけしました。なんとかここまで」

「休職中も、あちこちで引く手あまただったとか。話は耳にしている」

「暇だったので、捜査の真似事なども少し」

秋野は仙道を一階の地域課の部屋に案内すると、応接椅子を示して言った。

「新聞記事をまとめたものだ。部外秘のものはない。テレビ・ニュースを録画したものもある。観終わったら、声をかけてくれ」

仙道はうなずいて応接椅子のひとつに腰をおろし、秋野が用意してくれた新聞記事などのコピーを読み始めた。

さきほど秋野が教えてくれた以上の情報もわかった。記事によれば、町田奈穂の死体が見つかったのは、西帯広の中島橋という橋の近くだ。十勝川の河川敷の雑木林の端だったという。土手からその位置まで、車で入ることができる。死体はよそから運ばれ、その場でガソリンをかけられて燃やされたものだと推定できるという。死体は裸だった。現場から衣類は見つかっていない。

死体発見は十日前の朝だが、死体が運ばれて焼かれたのは、その前夜だろうと推測された。司法解剖の結果、死んだのは発見前日の午後五時から午後十時くらいのあいだとわかった。

歯の診療記録から、死体発見の翌々日には身元がわかった。町田奈穂。三十歳。レストラン・オーナー。両親と暮らしている。死体発見の前日午後、町田奈穂は、若葉通り東六条の屋敷を出てから、連絡が取れなくなっていた。当日はレストランが休みの日だった。町田奈穂の携帯電話は見つかっていない。

身元判明の翌日に、帯広署内に捜査本部が設置された。トラブルがなかったか、交遊関係ではどうか、それが洗われた。町田奈穂は、父親の出資で二年前にフレンチ・レストランをオープンさせていたが、店では従業員とのあいだでひっきりなしに揉《も》めていたとわかった。シェフはふたり目だし、ソムリエも三人目、二年のあいだに辞めたウエイターやウエイトレスはもう七人になる。ひと使いが荒く、吝嗇《りんしょく》という評判もあった。

男関係も派手だった。帯広の名士や金持ちたちが何人も、彼女と性関係を持っていたのだ。捜査本部は、これらの男たちからもひとりひとり事情を訊いているところだ。

町田奈穂の男関係ですぐ判明したのは、三十代の若手実業家だ。捜査本部は男を呼んで事情を訊いた。男は関係は認めたが、その日東京で仕事をしていたというアリバイがあった。

やがて町田奈穂の屋敷近くの大型ショッピング・センターの防犯カメラに、彼女が映っていることもわかった。午後四時三十分、町田奈穂はここで別人の運転する乗用車に乗りこんでいる。これが町田奈穂の生存を確認できる最後の映像となっている。

その車は、死体発見から六日目には特定できた。町田奈穂の知り合いの女が乗るものだった。捜査本部は彼女からも事情を訊いた。その女は、その日は彼女をJR帯広駅南口まで送っていったのだという。午後六時半以降については確たるアリバイもあった。殺人と結びつくような情報や証拠は出てこなかった……。

これがこれまで報道されていることの大要だった。

テレビの報道を録画したDVDも観た。この事件発生以来のニュース番組やワイド・ショーの報道が録画されていた。捜査本部が設置され、地元新聞社が被害者の周辺情報を大きく取り上げて以降、報道の量が増えていた。

東京のキー局の放送内容が典型だったが、若手美人社長をめぐる、ドロドロの人間関係というトーンでの構成だ。テレビはわかりやすい相関図で、町田奈穂をめぐる関係を示していた。そこではなにより、あの「華泉堂」という菓子メーカー・オーナーの娘ということが強調されていた。彼女は東京の私立女子大学に進学し、アメリカ留学、さらにパリの一つ星レストランで働いた経験を持っていた。

町田奈穂が二年前に開店したレストランは、帯広一の格式だという。ワイン二千本を収めたセラーが売り物で、オープンの日のテープカットは、食通として有名な某タレントがおこなった。

町田奈穂のスキャンダルもひとつ紹介されていた。彼女がロサンジェルスの大学に留学していたとき、日本の有名男優との関係を噂されたことがあるという。写真雑誌がツーショット写真を掲載した。そのときの、スレンダーな素人美人として報道された女性が町田奈穂だった。

テレビのある番組は、町田奈穂の性格について、知人に取材していた。その知人女性という人物は、モザイクの向こう側で言っていた。

とかく派手好きで、いろいろトラブルも絶えないひとでした。恨みも買っていたかもしれません。よくは知りませんが。

仙道はざっといくつかの報道を観てから、DVDデッキの電源を落とした。

秋野に終わったことを告げる前に、彼のほうから近寄ってきた。

「どうだ？」

仙道は答えた。

「帯広セレブ殺人事件、とでも呼びたいくらいだ」

「被害者のレストランでステーキとワインを頼むと、おれたちは次の日からカップラーメン暮しになる」

「捜査本部が中村春香に事情聴取した理由は何です？　捜査本部の誰か、教えてくれましたか？」

「車の女だ。車から、身元がわかった。いまのところ、最後に被害者を見たのは中村春香ってことらしい」

「でも、不審な点はない？」

「逮捕していないんだから、ないんだろう」

「なのに、マスコミが狙っているというのは、何か情報がリークされているからじゃないんですか？」

「独自取材の結果かもしれない」

「というと」

「被害者の抱えていたトラブルは多い。そのひとつが、中村春香だったんじゃないか。あっちも美人。映像を押さえておくのは、テレビ局としては当然という気もする」

「その場合、カネのトラブルでしょうか。犯人が女の可能性はあるんですかね。被害者は裸にされていたんでしょう？」

「一度にいくつも質問するな。捜査本部の連中には教えてもらえない。見当もつかない」

「テレビ局も、はずれた場合は大損だ。何人もスタッフを東京から送ってきているのに」

「あと少しだろう。逮捕がまだ延びれば、マスコミも消える」

「逮捕は近い？」

「何度も言わせるな。情報は持ってない。だけど、捜査本部にはたいして焦りはないように見えるぞ」

「目星はついているということですか。これまで報道されていない人物が、出てきたのかな」

秋野は答えずに言った。

「課長に紹介しておこう。こい」


地域課長は、メガネをかけた五十男だった。秋野から事情を聞くと、鷹揚《おうよう》に言った。

「あのマスコミには、近所からも苦情がきていた。だけど、もう減ったんじゃないかな」

仙道は言った。

「家族は参っているみたいでした」

「ひとりでも、うるさく感じるものな。その手合い、うちの制服警官たちが追い散らすわけにもいかんが、正規の警官が強くお願いするというのは、悪くない」

仙道は礼を言って頭を下げた。これで自分の行為は役所の仕事の一部と同じことになった。

課長の前を辞去しようとすると、彼はつけ加えた。

「くれぐれも捜査の真似ごとなんてやらないように」

「わかっています」

「部下には連絡しておく」

仙道は帯広署地域課の部屋を出た。


そのホテルは、帯広の市街地をわずかにはずれた位置にあった。住宅街の中の、わりあい木立の多いエリアの中だ。ＪＲ帯広駅までは、五、六百メートルだろうか。まだ新しく見える八階建てのシティ・ホテルだ。

ロビーに入ってフロントに名を告げると、すぐに奥の事務室から中村由美子が姿を見せた。三年前に会ったときと同様、ひっつめの髪にメガネ、濃紺のスーツ姿だ。やり手のホテル・ウーマンというよりも、地味な事務系職業婦人という印象のほうが強い。もう三十二、三歳のはずで、歳相応の成熟も感じられた。

「ありがとうございます」中村由美子は頭を下げて言った。「そちらの喫茶室へ」

ロビーの隅の席で、仙道は中村由美子と向かい合った。仙道の視線は、一瞬だけ彼女の左手に走った。左手の薬指には、いま指輪はなかった。

彼女は言った。

「電話でもお話ししましたが、殺された女性は、妹の知り合いでした。お友達だったと思います。死体が見つかった前の日にも会っていたということで、警察で事情聴取を受けたんです」

仙道は言った。

「じつは、ここにくる前に帯広警察署を訪ねてきました。妹さんは必ずしも容疑者ではないような雰囲気がありましたが」

中村由美子は驚きを見せた。

「ほんとうに？」

「事情聴取を受けただけでしょう。家宅捜索なんてありましたか？」

「いいえ。ないと思いますが」

「容疑者ではありません。少なくとも現時点では」

中村由美子は、解《げ》せないという顔で言った。

「じゃあ、どうしてあんなにマスコミが妹の家の前に？　近所のひとは、容疑者が妹だと思い込んでいるようです」

「マスコミは、暴走しがちですね。警察の立場から言えば、まったく迷惑なくらいに」

「妹の人権が侵害されています」

「妹さんはおひとり暮らしとのことでしたね」

「ええ。うちではいろいろ気づまりとかで、三年前から実家を出て暮らしています」

「お仕事は？」

「エステティック・サロンの経営」

「若いのに、すごい」

「妹は、なにごとにも積極的です。アグレッシブなくらいに」

「被害者にも、そういう面があったようですね」

「そうですか？　わたしは面識はないのですが」

「妹さんのお宅はどちらです？」

「市街地の北方向。東九条になります。オートロックの集合住宅です。建物の前の道路に、たくさんのカメラマンや記者がいます」

「行き方を教えてください。行き過ぎた取材があるようでしたら、注意しておきますので」

「地図を描きます」

中村由美子は立ち上がって、フロントのほうに歩いていった。


そのエリアは、ＪＲの線路をはさんで、ホテルとはちょうど帯広市街地の反対側にあたる場所だった。一戸建ての住宅と集合住宅が混在する住宅街だ。見たところ静かで、治安はよさそうなエリアだった。このような住宅街にマスコミが押しかければ、たしかに迷惑であるし、よく目立つ。近所のひとたちがナーバスになるのも無理はなかった。帯広署のミニ・パトカーとすれ違った。

中村春香の住まいはすぐに見つかるはずだった。マスコミの取材チームを目印にすればよいのだ。ところが、地図に記された通りには、ひと組の取材チームもいないし、旗を立てたマスコミの車もなかった。うっかりその建物の前を通りすぎるところだった。

仙道は、あわてて自分の車を停めると、その集合住宅の様子を観察した。赤いタイル貼りの建物で、エントランスの様子から、かなりの高級マンションと見える。

門柱に真鍮《しんちゅう》のプレートが埋められていた。そこに、教えられた建物名。

まちがいない。ここだ。

マスコミ取材陣のいないことがふしぎだった。もう退去したのだろうか。そういえば地域課長も、もう取材陣は減っているという意味のことを言っていた。捜査本部は完全に中村春香をシロと判断したということだろうか。その情報を漏らした捜査員がいて、その結果この集合住宅の前からマスコミは姿を消したということか。べつの言い方をすれば、マスコミ連中は捜査本部が次に容疑をかけた誰かの自宅前に移ってしまったのだ。

でも、それは誰？

仙道は、通りの西の出口近くに自分の車を停めた。もしまたマスコミがやってくるようであれば、私宅に張りついての取材はご遠慮を願うつもりだった。もし中村春香への容疑が晴れたというなら、それはそれでよいことだった。

仙道は車から降り立つと、中村由美子に電話をかけた。

「いま、きています」と仙道は言った。「妹さんのお宅の前には、誰もいません。マスコミは撤退したみたいですよ」

「え」と中村由美子は驚いたように言った。「たいへんな数のマスコミがきていたはずなのに」

「何か情報が流れたのかもしれない。これならわたしの出る幕もない。よかった」

「ほんとうに、一台もいません？」

「まったく。カメラマンひとり見当たらない」

「妹への容疑が完全に晴れたと考えていいのでしょうか？」

「わたしにはなんとも言えませんが、少なくともマスコミは関心をなくしたということですね」

「こちらの警察署に、それとなく確かめてもらうことはできませんか。容疑は晴れたのかどうか。それがわかれば、わたしたち家族も安心できます」

「難しいところですが、当たるだけ当たってみましょう」

「お手数かけます。こちらには、はるばる札幌から」

「いいんです。こちらには、会いたかった同僚もいますし」

「今夜はもう札幌にお帰りですか？」

「いいえ。せっかくですから、一泊してゆきます。前の同僚とひさしぶりに一献もできますから」

「本当に、ぜひうちにお泊まりください」

「駅前のビジネス・ホテルにします」

「そうですか。ほんとうに、ありがとうございました。あの、警察の見方について、連絡をお待ちしています」

少しだけ時間をください、と仙道は電話を切った。

ちょうどその集合住宅のエントランスに、ひとりの初老の男が出てきた。グレーの作業着を着ている。仙道に不審気な目を向けてきた。管理人のようだ。仙道はその管理人に近づいた。「警察です」と仙道は名乗った。帯広署員ではないが、身分を詐称したわけではない。「マスコミがこのあたりにたむろしているらしいので、注意にきたんですが」

管理人は、仙道を一瞥《いちべつ》してから言った。

「マスコミなんて、一昨日からいなくなったよ。遅すぎるんじゃないか？」

「一昨日から？」

「三日前には五、六組いたんだけどね。迷惑な連中だったたね。中村さんも、あれには弱り切っていたよ。外出もできないって」

中村春香のことだろう。

「中村さんは、きょうはもうふつうどおりに？」

「ああ。晴々とした顔だった」

中村由美子の心配には、二日のずれがあったのだ。仙道は、かすかに怪訝《けげん》な想いを感じた。彼女は最新情報をもとに、きょう自分に電話をかけてきたわけではなかったのだ。ずいぶん切羽詰まった様子に感じられたのだが。

仙道は管理人に頭を下げ、自分の車の運転席に再び身体を入れた。

ＪＲ帯広駅前は、すっきりと再開発されている。たぶん根室本線の高架化工事に合わせて、駅前の町並みも変わったのだろう。おかげで、北海道の地方都市には珍しく、あまり衰退が激しいようには感じられなかった。消費者金融やパチンコ屋の看板も目立たない。新しいビルが多いせいで、ＩＴ産業の集積した小都市のようにも見える。もっとも、一本内側に入ると、疲弊のしるしも多く目につくにちがいないが。

仙道がチェックインしたのは、その駅前の真新しいビジネス・ホテルだった。部屋に荷を置いてロビーに降りていくと、やがて秋野が姿を見せた。六時を十分回った時刻だった。

秋野は、警察署でもそうであったように、皺の多い顔をほころばせてロビーに入ってきた。

「ほんとに、もういつでも復帰できそうだな」

仙道は、この先輩警察官に謝った。

「長いこと、休んでしまいました」

「いいさ。酒が大丈夫なら、ここの裏手の屋台村ってところに行かないか。焼き鳥を食いながら、昔話でも」

「おつきあいします」

ふたりともジャケットの襟を立てて、ホテルを出た。快晴のせいで、日が落ちたとたんに気温は下がっていた。いまたぶん、プラス十度前後の気温だろう。

仙道は、中村春香の集合住宅の前にはマスコミはいなかったことを伝えた。管理人に、二日前から消えているとも教えられたと。

「そうだろう」と、秋野は歩きながらうなずいた。「さっき、捜査本部のひとりに訊いてみた。

中村春香の事情聴取は、とりあえず終わったそうだ」

「ということは、べつの被疑者が浮上ですか」

「死体発見現場近くの防犯カメラに、黒っぽいミニバンが映っていたそうだ。一昨日、持ち主がわかったそうだ。町田奈穂のレストランを夏に解雇されていた女だ」

「任意で、呼んでいるんですね」

「ああ。アリバイがあいまい。動機がある。死体遺棄現場近くにいた」

「見通しは？」

「おれに訊くな。じつは今夜、そいつも誘った。道警本部にいた仙道がきてると言ったら、少し顔を出したいって言ってた」

「どうしてまた？」

「やばい話をしたいのかもしれない。あんたになら、安心だ」

呑み屋街へと歩きながら、秋野が言った。

「もうきちんと思い出せるのか？」

あの事件のことだ。自分が激しい精神性外傷を負った一件。その直後には気づかなかったが、数カ月して、自分はそのときの衝撃から立ち直っていないことを知った。そのことを思い出すだけで、恐慌を起こすのだ。思考能力が完全に消える。いわゆる真っ白になるという状態。そこで棒立ちになったまま、意識が正常に戻るまで数秒から数十秒かかる。その場から遁走《とんそう》したいという衝動が起こる。思わず叫び声を上げるときもある。

一度思い出すと、しばらくのあいだその情景が頭から離れない。その状況が繰り返しフラッシュバックされる。最初のうちは、それが一週間も続いた。そのあいだ、仕事は事実上手につかなくなるのだ。

休職期間中に、どうにかフラッシュバックの出現する間隔は広がり、出ても影響は小さなものになってきた。もう叫び声を上げたりはしない。夜、夢に見てもうなされない。小部屋のドアを開けるとき、身体が硬直することもなくなった。

いま、自分はそのことをあえて意識の表面に呼び出すこともできた。それでももう恐慌は起こらなくなっているのだ。長い時間がかかったけれども、たぶん後遺障害は消えた。少なくとも、薄いものになった。社会生活を支障なくこなすことができる程度には。

仙道は秋野に答えた。

「大丈夫です」

「ふつうの警官なら生涯遭遇しないような状況だったんだ。お前の反応は不自然じゃない。休職も当然だった」

「秋野さんは、さほど長引かせなかったじゃないですか」

「おれはあとから入った。衝撃は少なかった。お前がギャッと叫んだから、気持の準備もできていたんだ」

言いながら、秋野は仙道の顔をのぞきこんできた。仙道は秋野の目を見つめ返した。

秋野がうれしそうに言った。

「ほんとうだ。顔色も変わらない。以前はもうこのあたりで、あんたは冷や汗を流していたものだ」

「ここまで時間がかかってしまいました」

「よかった」と、秋野は視線をもとに戻してうなずいた。

それは、三年ほど前、札幌の中央区の集合住宅で起こった事件だった。夜十一時、一一〇番通報があった。集合住宅の入り口あたりで若い女性の悲鳴が聞こえた、何か起こったようだと。集合住宅の住人からの電話だった。地域課の警官が駆けつけ、エントランスに新しい血痕と携帯電話を発見した。携帯電話の持ち主はその集合住宅に住む二十七歳の女性だった。しかし彼女は部屋に帰っていない。事件性がある、とすぐに判断された。機動捜査隊が現場に急行、周辺の捜索に入った。

三十分たってもなんの手がかりも得られない。その夜当直にあたっていた仙道と秋野も現場で聞き込みするよう指示された。午後十一時ごろに何か異常を感じなかったか、何か目撃していなかったか、住人にそれを確かめろということだった。女性の捜索自体は、指示されなかった。仙道は秋野と共に、担当と決められた建物を一軒ずつ訪問した。

女性が住んでいた集合住宅の真裏の、単身者用集合住宅の聞き込みにかかったのは、通報からおよそ一時間後だった。

多くの部屋の住人はまだ帰っていなかった。明らかに居留守を使っている部屋もあった。しかし、一階のある部屋の住人は、ドアを開けて仙道たちの聞き込みに対応してくれた。何も異常なことはなかった、と、住人である三十歳ほどの男は答えた。初冬の深夜だというのに、彼のグレーのＴシャツは汗でびっしょりと濡れていた。

いったんドアを閉じたあと、秋野が言った。

おかしい。妙だぞ。

なぜです？　と仙道は訊いた。どこが？

様子がおかしい。不自然だ。何かある。ただの勘だけど。お前は何か感じなかったか？

とくに感じなかった、と仙道は答えた。

秋野が言った。

もう一回、あの部屋を確かめよう。中に入れてもらえないか、言おう。

相手さえ承諾するなら、捜索令状なしでも市民の住居内に立ち入ることは可能だ。しかし仙道は、秋野を止めた。

ぼくたちは、聞き込みを指示されたんです。この建物をとりあえず当たってしまいましょう。女性の捜索のほうは、機動捜査隊と地域課がやってる。情報収集に専念しましょう。

いまにして思えば、それは馬鹿馬鹿しいほどの形式主義だった。深夜に住人と入れろ入れないで押し問答になることがいやだったのかもしれないとも、いまは思う。いずれにせよ、その場で仙道は自分でも許しがたいまでに鈍感であったし、いくらか怠慢でもあったのだ。自分がその現場にいることの意味、やるべきことの優先順位を、忘れていた。

三十分後、警察犬が行方不明の女性の持ち物から匂いを覚え、足どりをたどってその集合住宅に達した。警察犬は、その男の部屋の前で、激しく吠え始めた。

その場に戻っていた仙道と秋野は、顔を見合わせた。警察犬が吠えるということは、部屋の中で何か尋常ならざることが起こっているということではないか。

ドアのチャイムを鳴らしたが、こんどはドアは開かなかった。仙道は遠慮なしにドアを叩き、男の名を呼んだ。開けろ、早く開けろと。

どこかで、何かがぶつかったような音、物が壊れたような音が聞こえた。裏手からだ。

男がベランダから逃げた？

仙道は秋野やふたりの機動捜査隊員らと一緒にその集合住宅の裏手にまわった。男の部屋のベランダのガラス戸が開いていた。部屋の中をのぞくと、床に血が飛び散っている。三十分前、玄関口から見たときはなかったものだ。

男の追跡を機動捜査隊員らにまかせて、仙道はベランダから部屋の中に飛び込んだ。居室はひとつだけだった。ベッドのある空間には、ひとの姿はなかった。仙道は奥へと進み、風呂場のドアを開けた。

そこで仙道は絶叫したのだ。浴槽の中に、着衣の女のボディがあった。女の首は切り取られ、浴槽の外の洗い場に置かれていた。目はまっすぐ仙道を見つめている。その横に包丁。血に濡れており、まだその血の表面は光っていた。仙道がよろめいてドアの外へ出たところで、秋野が後ろから支えてくれた。秋野は風呂場をちらりと見て言った。

いま、やられたんだ。さっきは生きていたんだ。

玄関のドアの外ではまだ激しく警察犬が吠えていた。仙道はうしろを向き、キチネットの小さなシンクの中に嘔吐した。

さらに二十分後、男の死体が見つかった。男は集合住宅から逃げ出したあと、三百メートルほど先にある高層集合住宅の屋上まで駆けて、そこから身を投げたのだ。

仙道は、一度現場に行っていながら被害者を救うことができず、接触していながら殺人犯の身柄を確保できなかったのだ。

警察が動きだした時点では、死者の数はゼロだった。しかし、通報を受けて二時間後には、それが二となっていた。初動の失敗、と道警本部では評価された。その失敗は、つまるところ、仙道の失態だった。

この件の報告書を出してから二カ月後、仙道は薄野《すすきの》の居酒屋で暴れて、薄野交番の警官たちに取り押さえられた。翌日には、休職が命じられた。

「もうじきだ」と秋野が道の先を顎《あご》で示して言った。「それにしても、回復には何が必要だったんだ？」

この精神的後遺障害の話題のようだ。仙道は答えた。

「やはり、時間だったのでしょう。記憶を乾かさなければならなかった。それには、時間が必要だった。仕事を続けていたら、それはずっと生乾きのままで、何度も何度もわたしの意識の中で暴れたんです」

「そういうふうに要約できるんだ。進歩だな」秋野は屋台の小さな呑み屋が並んだ一角に入って言った。「そこだ」

屋台と秋野は表現したが、そこそこの広さのある店だった。十四、五人は入れそうだ。テーブル席もある。全体はビニール製のテントで囲われており、隅に大型の灯油ストーブが設置されていた。

いま店には、ふた組四人の男性客がいた。

仙道は店に足を踏み入れる前に、小声で訊いた。

「身元は知られているんですか？」

「いいや」と秋野は答えた。「たぶん知られていない。注意してしゃべってくれ」

中に入って、ほかの客から離れたテーブル席に腰を下ろした。

作務衣《さむえ》を着たウエイトレスが注文を取りにきた。秋野はすぐに生ビールを注文したが、仙道は少しだけためらった。

「ぼくもビールを。いや、焼酎のお湯割を」

秋野が笑った。

「もう荒れることは心配しないでいいんだな」

仙道は答えた。

「荒れたい、という気持がなくなったんです」

串焼きと煮込み料理を食べながら、この三年間を話題にした。二年前、秋野は秋野で、捜査一課在籍が七年経ったからという理由で、帯広署の地域課に異動になっていた。秋野は、けっして愚痴っぽくもない口調で、新任地での仕事を語った。

　二杯目の酒を注文したところで、捜査本部の捜査員だという帯広署の私服警官がやってきた。秋野と同い年ぐらいの、体格のいい男だ。建設業者が着るような厚手の防寒着を引っかけていた。北沢巡査部長、と秋野が紹介した。

　あいさつ代わりの世間話が一段落したところで、仙道は事情を説明し、北沢に確かめた。

「春香の容疑は晴れたってことでいいんですか」

　北沢は苦笑して言った。

「ずばり訊いてくるな」

「ダー、ニエットで答えていただいてもけっこうです」

「どうしてロシア語なんだ？」

「うちの役所で使うには、フランス語よりも向いてるでしょう」

「そういう答え方自体が難しいんだがな」

「べつの重要参考人が出たんですね」

「ダーでもあり、ニエットでもあり」

「というと？」

「べつの、というよりは、もうひとり、と言ったほうがいいか」

　つまりまだ中村春香も参考人のひとりという意味になるのか。

　秋野が、仙道に助け船を出すように北沢に訊いた。

「きょう、女が呼ばれていたらしいな。害者とトラブルのあった誰かさんなんだろ？」

北沢は、また苦笑した。

「ダー」

「元従業員？」

「ダー」

「呼ぶだけの物証が出た？」

「ニエット」

「状況証拠？」

「ダー」

「アリバイはあるのか？」

「ニエット」

「感触は五十パーセント以上？」

「言えないって」

「長引きそうか？」

「ダー。いや、ニエット、かな」北沢はいきなりそばのウエイトレスに声をかけた。「ビールもう一杯」

この話はこれまで、という合図なのだろう。

仙道がもう一度引き取った。

「被害者は裸だったとか。男の線もあるんでしょう？」

北沢が、仙道をにらむように見つめてきた。

「マスコミには発表していない情報がある」

「女と判断できる根拠ですか」

「ダー。死体損壊の状況だ」

そう言われれば、見当がつく。殺人と死体損壊の手口については、男に特徴的なもの、女に特徴的なものがあるのだ。もちろんどちらも使う手口もあるが、これはこちらの性による犯行と判断して絶対に間違わないという形態もある。こんどの場合も、死体には明瞭にその特徴が現れていたということなのだろう。だから、捜査本部はある時期から、狙いを女に定めている。

「ダー」

秋野が訊いた。

「怨恨、ってことだな」

仙道はふしぎに思って訊いた。

「じゃあ、中村春香が」

北沢が言った。

「エイチ、と呼ぶことにしないか」

仙道は言い直した。

「じゃあ、エイチが事情聴取を受けたのはどうしてだろう？　害者の知人でしたよね」

北沢は言った。

「最初は車の件。防犯カメラに映っていた。被害者を自分の車に乗せている。訊くと、帯広駅まで被害者を送ったとのことだった。二時間後には、自分の店に出ていた。その日、その後のアリバイは完璧だ。午後の二時間、被害者を送ったあと、彼女は郊外の柴竹ガーデンまで、観葉植物を買おうと走ったそうだ。途中で気が変わり、市街地に戻って店に出た。だからこの二時間のアリバイの裏は取れてないんだけど、その二時間で女がひとを殺して運んで焼いたと想像するのは無理がある。やってできないことはないと思うが、裁判所はアリバイが成立しているとみなすだろう。だから帰した」

「一日おいてまた事情聴取していますね」

「被害者とエイチとのあいだに、男がいるとわかったんだ。男は、三月ほど前から女を乗り換えた。エイチから害者に。それでもう一度事情を訊いた」

「エイチは男が乗り換えたことを知っていた？」

「ダー。男と揉めた」

「エイチは、害者に対しては何か？」

「知らないふりを装っていたようだ。表面的には、何も起こっていない」

秋野がまた口をはさんだ。

「わからなくなってきたぞ。害者と元従業員の女とは、どういう痴情のもつれなんだ？」

「害者のレストランの中で、ややこしいことをやってた」

意味はわかった。被害者は、自分のレストランの男性従業員とも関係していたということなのだろう。それがどれほど深いか、長く続いたかはともかく、被害者はそうとうの発展家だというわけだ。

北沢が、こんどこその話題はおしまいというように、ジョッキを持ち上げた。

「お代わり」

しかたがない。仙道はそれ以上北沢から情報をもらうことはあきらめた。

秋野たちと別れたのは午後八時をまわった時刻だった。いくら回復したと言っても、長い時間飲み続けることは危険だった。焼酎のお湯割を三杯。これが限界だ。

屋台村の外で秋野たちと別れたとき、携帯電話が鳴った。取りだしてモニターを見ると、また中村由美子だった。

「いかがです」と中村由美子は、かすかに焦慮を感じさせる調子で訊いてきた。「帯広警察署の方とお会いになってるんですよね。とても気になっているものですから」

仙道は歩きながら言った。

「会いました。でも、あまりはっきりとは答えてもらえませんでした。ま、当然と言えば当然なんですが」

「妹の、春香の容疑は晴れたわけじゃないんですか」

「感触では、まだ完全に晴れたようではありません」

「では、マスコミはどうして消えてしまったんでしょう？」

「もうひとり、動機のある人物が出てきたようです」

「動機？」

「怨恨です」

「そのひと、犯人なんでしょうか」

「逮捕されていないのですから、被疑者でもありません。単に参考人ということなのかもしれません」

中村由美子は言った。

「いまから少しの時間、お話しできます？　わたしがお泊まりのホテルのほうにお伺いします。妹の無実を証明できるかもしれないと思いつきました」

ホテルはまずいだろう。仙道は立ち止まってあたりを見回した。すぐ目の前に、ワイン＆バーという看板が出ている。看板のデザインから、わりあい品のいい店なのだろうと想像できた。

仙道はその店の名を出して、そこにいると伝えた。

奥のボックス席で、ソフトドリンクを飲みながら待っていると、中村由美子は十分後にやってきた。コートの下は、夕方ホテルで見たものと同じスーツだった。

中村由美子は仙道の向かい側に腰を下ろすと、仙道の目に視線を据えて言った。

「この近所に、きれいなママさんのやっているスナックがあります。春香のエステのお客さんです。春香とは親しいんです。事件の前後にも、春香の店に行っていたと思います。そのひとなら、春香の無実、アリバイのこととか、人柄を証明してくれそうな気がします」

「この近く？」

「ええ。この呑み屋街の中です」

中村由美子は突然上体をテーブルの上に倒し、右手を仙道の右手に重ねてきた。

「助けてやってください。無実を証明してください。お願いです。あの子は、たったひとりの、大事な妹なんです」

仙道は、中村由美子のその気迫に少し気押《けお》される想いだった。仙道は右手を引っ込めて言った。

「わたしは事件担当の刑事じゃありませんが、話は聞いてみます。妹さんの無実を証明する話が出てきたら、捜査本部にも伝えますよ」

「お願いします」中村由美子はハンカチを取り出し、メガネの下のまぶちを何度もぬぐって言った。「ほんとうにお世話になります。こんな身内のことで」

「お店を教えてください。ひとりで行きますから」

中村由美子は、サンジェルマンという店の名と、田中幸恵というママの名を教えてくれた。


八時を三十分も回った時刻だったけれど、その店には客はいなかった。仙道が入ってゆくと、三十代なかばと見えるママが、一瞬怪訝《けげん》そうな顔を見せた。一見客《いちげん》が行く店ではないのだろう。田中幸恵は色白で、目の大きな顔だちの美人だった。危うい色香がある。ある種の男たちなら、ころりと陥落しそうな雰囲気だった。

「いいかな」と訊いてから、仙道はカウンターのスツールに腰掛け、名刺を取りだした。残り少なくなった、聞き込み用の名刺。本部捜査一課の直通電話の番号が記されている。

田中幸恵は、名刺を見て疑うように言った。

「刑事さんって、警察手帳を出すものじゃないの？」

「私用なんだ」と仙道は弁解した。「だからビールを注文したい」

「でも、何か聞きたいってことなんでしょう？」

「あるひとの評判だけ」

「誰？」

「中村春香」

幸恵は、突然笑い出した。仙道は、彼女の笑いが収まるまで黙って待った。

やがて幸恵は、愉快そうに頭を振りながら言った。

「いい評判を聞きにきたつもりなら、お役に立てないわ」

意外な反応だった。中村由美子は何か勘違いしたのか？

「悪い評判を知っている？」

「喧嘩した。もうつきあいもない」

「仲がよいという話を聞いたんだ。喧嘩はいつごろ？」

「半年ぐらい前かな。もしかして、町田奈穂さんが殺された事件と関係はある？」

「知っている？」

「この町では大事件だもの。町田一族の娘さんが殺されたんだから。いま刑事さんが調べることって、そのことしかないでしょ」

「中村春香に疑いがかかりそうだ。それでここにきた」

「あの子、容疑者なの？」

「いいや」

「わたしには、彼女の悪いところしか言えないけどね。わたし、春香には泥棒猫って言われたこともあるんだ」

「何を泥棒したって言うんです？」

「男」幸恵はまた微笑した。「彼女、町田奈穂とも男を取り合ったの？」

「よくはわからない。ただ、被害者とは親しかったようだから」

「本心隠してひとづきあいのできる子だよ。わたしも、あの瞬間まで、あの子とは親しいものだと思い込んでいた。男のことであんな喧嘩になるとは、夢にも思っていなかった」

「どんな瞬間があったんです？」

「猫を焼き殺された。ロシアン・ブルー。二十万もした猫なのに」

仙道は一瞬、聞き違えたかと思った。猫を焼き殺された？

「中村春香が猫を焼き殺したと言いました？」

「ああ。ただ、彼女が自分でそう言ったわけじゃない。うちの近所の公園で、焼かれた猫が見つかった。あたしのチイちゃんだった。その日の夜、この店に彼女がやってきて、ひどい調子で泥棒猫呼ばわり。それで焼いたのが誰かとわかったのさ」

「警察に届けは出しました？」

「ううん。怖かった。あれ以上関わりになりたくなかった。きちんとペットの焼き場で骨にしてもらって、あの子とは縁を切った」

幸恵は、ビールのグラスを仙道の前に置いた。仙道は一瞬ためらってから、ビールをひとくち、喉に流し込んだ。

幸恵は、目を細めてうなずきながら言った。

「そうか。町田奈穂殺人事件って、中村春香が登場してくる話なのね」

「彼女とは、ずっと会っていないんですね」

「もう半年も」

「彼女は切れると怖い？」

「あの子のものに手を出すと怖い。切れる。独占欲が強くて、自分は他人が持っているものにも手を出す。だけども、自分のものに他人が手を出すことは許さない。相手の猫を焼き殺すぐらいにね」

「町田奈穂が殺されたとき、中村春香のことを連想しなかった？」

「いいえ」幸恵は言った。「どういうつながりがあるのかも知らなかった。それにあれって、男の変質者の犯罪じゃないの？　裸にされていたんでしょう？」

そのとき店のドアが開いた。幸恵はさっと入り口に顔を向け、入ってきた中年客にあいさつした。

仙道は財布を出しながら立ち上がると、幸恵に訊いた。

「最後にもうひとつだけ。中村由美子さんとは親しい?」

幸恵は答えた。

「顔見知り。友達と言えるほど親しくはないけど」

「彼女は、ママと春香さんとの仲違いのことを、知っていたんだろうか」

「知っていたんじゃない?」幸恵は中年客に奥の席を示しながら言った。「あのひとは、たぶん春香のことについては、すごい感度の耳を持ってたよ。身内だから、ってだけでは説明つかないぐらい、よく知ってた。知ろうとしていた」

「ありがとう」

仙道はビールの代金を払って店を出た。


翌朝も、帯広は快晴だった。

ただし気温は低い。プラス七度か八度というところだろう。駐車場に降り立ったとき、仙道の吐く息は白くなった。

そのホテルのロビーに入り、フロントで名前を告げた。すぐに中村由美子が姿を見せた。例のとおりの濃紺のスーツ姿。地味な顔だちで、ときには薄幸そうにも見える職業婦人。いや、じっさい彼女は不幸なのだろう。妹の破滅をこれほどまでに激しく望んできたような女なのだから。

中村由美子は仙道の顔を見て、一瞬かすかに頬を輝かせたようだった。たぶん自分の期待が成就したと確信できたのだろう。

仙道は中村由美子にあいさつすると、彼女が言いかけるのを制して言った。

「少しお話しできますか。静かなところで」

「かまいませんが」

仙道は、ロビーの奥に目を向けた。大きなガラスの向こう側は、イギリスふうの庭園となっているようだ。遊歩道が作られているようでもある。

「あちらで、いかがです。歩きながら。コートを持ってきたほうがいいかもしれない」

中村由美子はまばたきし、顔からそのつつましやかな笑みを消した。

彼女は言った。

「いま、コートを持ってきます」

三十秒もたたないうちに、彼女が黒いコートを羽織って戻ってきた。仙道は彼女のあとについて、ロビーの脇から庭に出た。アンティーク・レンガを敷いた遊歩道がある。仙道はゆっくり歩きだした。中村由美子が仙道の右に並んだ。

仙道は、ちらりと中村由美子の横顔を見てから言った。

「どうしてわたしに、こんなことをさせたんです？」

ずいぶん長い時間が空いた。聞こえなかったのだろうかと仙道がいぶかるほどにだ。もう一度言おうと中村由美子に顔を向けると、ようやく彼女は硬い表情で言った。

「どうしてです？」

「マスコミが退去したのは、三日前だ。なのにマスコミがうるさいと、あなたはわたしに協力を求めてきた」

「事情を訊いていながら、妹を逮捕しなかった。いつのまにか、マスコミも妹のうちの前からいなくなりました。警察は、妹は無関係と判断したのだろうと思ったんです」中村由美子の声が妙にシニカルなものになった。「ここの警察がお馬鹿だから、という理由では、来てはくれなかったでしょう？」

「あなたが思っているほど、警察はお馬鹿じゃない」

言ってから、思った。こんな言葉を口にできるようになった。以前は、できなかった。そうです、自分のような警察官がいるんですから、お馬鹿だという評価はほんとうですと、うなだれるしかなかったのだ。

中村由美子は言った。

「町田奈穂さんの死体が見つかったと知って、わたしはすぐ真犯人が誰かわかりました。妹がつきあっていた男性を町田奈穂さんに奪われたことを知っていたからです。妹がそんなとき、相手の女性にどんなことをするか想像がついていました。なのに警察は、妹を逮捕もしなかった。男性トラブルの一件を調べられなかったのでしょう。わたしは帯広署に、匿名の電話をかけて、これは被害者の男性関係をめぐるトラブルだと伝えた。それで警察はやっと、もう一度妹を事情聴取したんです」

「妹さんは、質問をうまくかわした。疑われないような答え方だったのでしょう。だからまた帰された」

「しかも、べつのひとが取り調べを受けているとか。わたしの耳に入った話では、そのひとにはアリバイもないし、強い動機もある。町田奈穂さん殺しの真犯人は、そのひとで決まってしまいそうでした」

「警察はそんなに馬鹿ではないし、次の段階では法廷があります。無実のひとを殺人犯にしてしまうということはない」

もちろん建前だ。警察組織がしばしば、冤罪を作ってしまうことを仙道は承知している。ないに越したことはないが、厳然として冤罪を生み出す構造は存在するのだ。警察の無謬《むびゅう》性の虚構を守るためなら、ときに市民ひとりの人生を破壊することさえ、腐った連中はやってのける。少なくとも、過去にそれを疑われた県警の例は皆無というわけではない。

中村由美子が言った。

「妹の性格はよくわかっています。欲しいものはなんでも手に入れる。でも、自分の所有物に他人が手を出すことは絶対に許さない。小さいころからそうでした。男性をめぐっては、とくにその性格がはっきりと出ました。田中幸恵さんの話、聞きましたよね？」

「ええ。あなたがじつはあの猫殺しのことを知らせたかったのだと思い至るまでに、少し時間がかかりましたが」

「帯広の警察には、伝えてくれました？」

「まだです。このあと、帯広署に行くつもりですが」

遊歩道の先に小さな池があった。遊歩道はその池の手前で大きく左に曲がっていた。その先には、まだ若いカシワの木の小さな木立がある。カシワの枝には、茶色になった葉が残ったままだ。遊歩道はそのカシワの木立のあいだを抜けて、右手に曲がっている。

木立のあいだに入ったところで、仙道は言った。

「誰かがひとを殺したなら、法の裁きを受けなければなりません。こんどの場合、殺人に気がついたなら、お姉さんであるあなたが妹さんを説得してもよかった。自首しなさいと」

中村由美子は言った。

「わたしには、確信はあるけれども、証拠を持っているわけでもありません。警察がやらなければならないことだった」

「だから、わたしに電話した。妹さんが殺人犯だと、わたしが自分で調べて確信するように」

「ええ。あなたの力を借りて、罪を犯したひとを送るべきところに送りたかった」

「あなたの考えも、意見も、百パーセント正しい。素晴らしい正義感の持ち主だと思います」

「皮肉ですか？」

「いいえ。でも、なぜあなたが妹さんの逮捕、あるいは刑務所送りをそんなに必死に願うのか、よくわからない。逃がせと言っているんじゃありません。無実であって欲しいと願うのが、姉じゃないかという気がしています」

「理由はさっきも言いましたわ」

中村由美子の声が少し小さくなった。震えたようにも聞こえた。今朝の寒さのせいか。仙道が横を見ると、顔を上げた彼女の目がうるんでいた。

中村由美子が続けた。

「あの子は何もかも欲しがった。あの子はすべてを望んで、すべてを手に入れてきたんです。ひとりの人生では抱えきれないぐらいにたくさんのものを、手に入れてきた。でもそろそろ、人生の帳尻を合わせるときです」

「それはつまり」

「なんです？」

「あなたも何かを妹さんに取られた？」

中村由美子は微笑した。哀しげな微笑だった。

「ええ」

仙道はそのまま遊歩道を歩いた。カシワの木立を抜けたところで、道はふたたびホテルの建物に向きを変えた。

仙道は言った。

「あなたの教えてくれた情報だけでは、妹さんは逮捕されないかもしれない。でも捜査本部には、なにがしかの心証が形成されるでしょう。妹さんをめぐる事情が徹底的に調べられるでしょう。その結果が、もし逮捕見送りだったとしても、あるいは不起訴だったとしても、あなたはそれを受け入れることができますか？」

中村由美子が立ち止まり、仙道を見つめてきた。仙道も立ち止まって中村由美子に向き直り、彼女の視線を受け止めた。

中村由美子は、またあの哀しげな笑みで言った。

「次を待ってもいいんです。今回切り抜けても、あの子はいつかまたきっと同じことをやります。いま思いつきました。ふたり殺したとなれば、たぶん確実に死刑でしょうね？」

仙道の身体がぶるりと震えた。もしかすると、気温はいま五度以下かもしれない。薄手のジャケットひとつでは寒すぎる。ここはもう冬。雪こそないが、真冬だった。仙道は中村由美子の笑みから目をそらした。身体がもう一度ぶるりと震えた。

仙道は中村由美子に小さく会釈すると、彼女に背を向けて歩きだした。

これから自分は帯広署に行くのだ。町田奈穂殺害事件捜査本部に。ひとつ、小さな、しかし事件を再検証する手がかりかもしれぬ情報を得たと。自分は帯広署の配属でもなく、正規の手続きで動いている捜査員でもないが、この情報を上げることは自分の義務であると考えると。

そのときおれは、と仙道は確信した。たぶんかつての刑事の顔を取り戻しているにちがいない。おれはどこから見ても、刑事そのものに戻っているにちがいない。

初出誌＊「オール讀物」

オージー好みの村……………二〇〇七年七月号
廃墟に乞う……………二〇〇八年七月号
兄の想い……………二〇〇七年十月号
消えた娘……………二〇〇八年一月号
博労沢の殺人……………二〇〇八年四月号
復帰する朝……………二〇〇九年三月号

著者略歴

一九五〇年北海道生まれ。

自動車メーカー勤務を経て、七九年「鉄騎兵、跳んだ」でオール讀物新人賞を受賞。

九〇年『エトロフ発緊急電』で日本推理作家協会賞、山本周五郎賞、日本冒険小説協会大賞を受賞する。

二〇〇二年『武揚伝』で新田次郎文学賞受賞。

他の著書に、『ベルリン飛行指令』『天下城』『制服捜査』『警官の血』『笑う警官』『警官の紋章』『暴雪圏』などがある。

ISBN978-4-16-328330-2

廃墟《はいきょ》に乞《こ》う

二〇〇九年七月十五日　第一刷発行
二〇一〇年一月二十日　第二刷発行

著者　佐《さ》々《さ》木《き》　譲《じょう》
発行者　庄野音比古
発行所　株式会社　文藝春秋
〒102－8008　東京都千代田区紀尾井町三―二三
電話　〇三―三二六五―一二一一
印刷所　凸版印刷
製本所　加藤製本